immigrants

(13 TÉMOIGNAGES, 13 AUTEURS DE BANDE DESSINÉE ET 6 HISTORIENS)

Récits de Christophe Dabitch

Dessins de

Étienne Davodeau, Christian Durieux, Manuele Fior,
Benjamin Flao, Christophe Gaultier, Simon Hureau,
Étienne Le Roux, Kkrist Mirror, Jeff Pourquié,
Diego Doña Solar, Troubs, Sébastien Vassant

Couverture

Étienne Davodeau

Textes de

Marianne Amar, Marie-Claude Blanc-Chaléard,
Liêm-Khê Luguern, Gérard Noiriel, Philippe Rygiel,
Michelle Zancarini-Fournel

préface

Cet ouvrage n'a pas pour objectif d'être représentatif
des différentes réalités vécues de l'immigration.
Il s'agit de porter un regard sur quelques trajectoires singulières
sous la forme d'entretiens mis en dessins et,
grâce au travail de réflexion des historiens,
d'interroger quelques thématiques liées à l'immigration.
Nous utilisons le terme d'immigrant plutôt que celui
d'immigré — saturé d'usages et de significations —,
avec le désir de porter sur ce sujet un regard neuf.
Si l'on remonte aux arrière-grands-parents, selon une étude
de l'Institut national d'études démographiques en 1990,
40 % de la population française est d'origine immigrée.
Plutôt qu'un "problème" ou une "question",
nous voudrions ici évoquer une normalité et une banalité.

Christophe Dabitch
Entretiens et ligne éditoriale

Une nation d'immigrants

Par Gérard Noiriel

Au XXᵉ siècle, la France a été l'un des principaux pays d'immigration dans le monde. Cet aspect de notre histoire contemporaine a longtemps été refoulé de la mémoire collective. Aujourd'hui, le vieux stéréotype sur « nos ancêtres les Gaulois » tend à disparaître. Mais d'autres préjugés se sont installés, notamment l'idée que les immigrants d'autrefois se seraient « bien intégrés », alors que ceux d'aujourd'hui « poseraient problème ». L'histoire de l'immigration montre qu'en réalité c'est toujours le dernier venu qui a été perçu comme le plus menaçant aux yeux des autochtones[1].

Dans la première moitié du XIXᵉ siècle, les débuts de la révolution industrielle ont entraîné les premières migrations de masse; cependant, à cette époque ce n'est pas le critère de la nationalité qui était déterminant, mais le clivage ville/campagne. Les migrants venus de Bretagne ou de Creuse étaient perçus par les Parisiens comme des « barbares », au même titre que les Piémontais ou les Flamands. En intégrant les classes populaires au sein de l'État-nation, la IIIᵉ République fixe un nouveau clivage centré sur l'opposition entre les nationaux et les étrangers. Dès cette époque, les représentants du grand patronat sont convaincus que le développement industriel de la France ne pourra pas se faire sans un recours massif à l'immigration. En 1887, l'économiste Paul Leroy-Beaulieu écrit : « La France est un pays d'immigration, comme la République argentine ou l'Australie. En moyenne, 40 000 à 50 000 étrangers viennent ici chaque année s'installer et prendre racine. » La population étrangère, qui avait déjà doublé sous le second Empire, double à nouveau entre 1872 et 1886. À cette date, elle atteint 1,2 million de personnes, chiffre qui restera à peu près stable jusqu'en 1914. Dans les zones frontalières et dans les secteurs d'activité où la main-d'œuvre est instable (BTP, travaux agricoles saisonniers), la concurrence entre les étrangers et les nationaux s'exacerbe pendant la crise économique des années 1880-1890. De multiples rixes éclatent, faisant de nombreuses victimes. Le paroxysme est atteint dans les salines d'Aigues-Mortes en août 1893. Huit Italiens sont tués et on compte une centaine de blessés[2].

Sous la pression de cette actualité sociale, le gouvernement républicain adopte des mesures protectionnistes. L'État se fixe désormais comme tâche de protéger les intérêts de ses ressortissants, ce qui nécessite de distinguer très rigoureusement les Français des étrangers. Tel est l'enjeu essentiel de la première loi sur la nationalité française, votée en 1889, qui annonce les premières mesures de protection du travail national (1893). Alors que, jusque-là, les étrangers vivant en France n'étaient enregistrés nulle part, désormais ils doivent se déclarer dans la commune où ils résident. Ce virage protectionniste ne concerne pas que la France. Une brutale transformation des relations internationales se produit dans les dernières décennies du XIXᵉ siècle, opposant les pays d'immigration (la plupart étant des pays « neufs » : États-Unis, Argentine, Australie, etc.) et les pays d'émigration (la majorité des États européens).

Dans ce panorama, la France fait figure d'exception. En effet, ce pays, qui était le plus peuplé d'Europe jusqu'au début du XIXᵉ siècle, est devenu une terre d'immigration dans un continent encore largement dominé par l'émigration. Le recours massif à la main-d'œuvre étrangère s'explique par les nécessités du développement industriel. L'une des grandes originalités du cas français, comparé à ses plus proches voisins européens, tient au fait que le droit de vote a été accordé aux classes populaires (masculines) avant que la révolution industrielle n'ait produit tous ses effets. En devenant électeurs, les paysans et les travailleurs « indépendants » (artisans, boutiquiers) ont acquis la possibilité de bloquer les réformes qui auraient permis d'intensifier l'exode rural pour fournir aux grandes usines les travailleurs dont elles avaient besoin. Ces résistances ont aggravé aussi les pratiques malthusiennes dans les milieux populaires, entraînant une crise démographique dont les élites découvrent l'ampleur dans les dernières décennies du XIXe siècle. Tous ces facteurs conjugués expliquent les rigidités du marché du travail industriel et le recours à l'immigration à partir des années 1860.

Il faut toutefois préciser que jusqu'à la Première Guerre mondiale les migrations sont surtout frontalières. Les deux principales nationalités étrangères recensées en France au début du XXe siècle sont d'une part les Belges, que l'on trouve dans le nord de la France, et d'autre part les Italiens, fortement représentés dans le Sud-Est.

La Première Guerre mondiale marque l'aboutissement du processus de fermeture des frontières nationales apparu trois décennies plus tôt et les débuts de ce qu'on appellera ensuite l'immigration « choisie ». Étant donné que les hommes valides sont au front, le déficit de main-d'œuvre s'aggrave brutalement, ce qui nécessite le recrutement collectif d'ouvriers en provenance des pays européens alliés de la France, mais aussi de l'empire colonial. 440 000 travailleurs étrangers et 225 000 travailleurs coloniaux (plus du tiers venant d'Algérie) sont ainsi embauchés dans les usines de guerre et dans l'agriculture. La politique d'immigration élaborée pendant la guerre est réactivée au cours des années 1920, car la reconstruction du pays exige de faire appel à une main-d'œuvre que les entreprises ne trouvent pas sur place. Même si les flux migratoires spontanés ne disparaissent pas, ils ne sont plus suffisants pour fournir les travailleurs, mais aussi les pères de famille, dont la France a besoin. Le recrutement collectif, la sélection et le placement de ces ouvriers étrangers sont confiés à des organismes associant des représentants du patronat, des syndicats et de l'État. Les critères qui guident cette politique d'immigration sont élaborés au cours des années 1920 par des experts universitaires, de centre gauche et membres de la Ligue des droits de l'homme pour la plupart. La règle qui s'impose alors est d'écarter les « races antagonistes » (principalement les Allemands) et les « races inférieures » (indigènes des colonies). Aux immigrés « choisis » s'opposent ceux qui n'ont pas été « choisis » et que l'on appelle alors les « indésirables ».

À la fin des années 1920, la France compte plus de trois millions d'étrangers. Selon un économiste de cette époque, elle est alors le « plus grand pays d'immigration du monde ». En 1925, en effet, 178 000 travailleurs étrangers ont été introduits en France, contre 171 000 aux États-Unis, qui ont fermé leurs frontières sous la pression des groupes nativistes. Cette immigration de masse s'explique par les déficits antérieurs du marché du travail, auxquels s'ajoutent désormais les conséquences de la Grande Guerre : 1,3 million de Français, en majorité des paysans et des ouvriers dans la force de l'âge, sont morts au combat. Le nombre des mutilés est équivalent. En 1919, on estime que 10 % de la main-d'œuvre ouvrière manque à l'appel. Les deux secteurs les plus déficitaires sont l'industrie lourde et l'agriculture. Paradoxalement, en effet, les paysans restent nombreux dans la population active, alors que les campagnes manquent d'ouvriers agricoles. L'ampleur des besoins explique l'élargissement des zones de recrutement. Les mouvements frontaliers s'effacent au profit de migrations à plus large échelle. Les Italiens, qui sont passés devant les Belges au début du siècle, forment désormais la première communauté étrangère en France. Ils resteront en tête jusqu'au début des années 1960. Toujours nombreux dans le Sud-Est, ils sont aussi présents, désormais, en région parisienne, dans l'est et dans le nord de la France. Mais le fait le plus notable de cette période, c'est l'arrivée d'immigrants en provenance des pays d'Europe centrale et orientale. En dix ans, 500 000 Polonais sont recrutés, souvent par familles entières, avec leur prêtre et leur instituteur. La grande majorité d'entre eux sont embauchés pour travailler dans les mines de charbon du Nord-Pas-de-Calais car il faut recréer de toutes pièces la classe des mineurs qui a été décimée par la guerre et l'exode vers la région parisienne.

L'entre-deux-guerres est une période très importante aussi dans le domaine du droit d'asile. C'est à ce moment-là, en effet, que la France devient la principale terre d'accueil pour les réfugiés. Plusieurs centaines de milliers de Russes chassés par les bolcheviks, d'Italiens antifascistes, d'Arméniens fuyant la répression turque, se fixent en France au cours de cette période. Dans la décennie suivante, malgré la crise économique, une partie des victimes du nazisme et du franquisme trouvent également refuge dans l'Hexagone.

La troisième étape qu'il faut mentionner dans cette présentation rapide des flux migratoires vers la France débute au lendemain de la Seconde Guerre mondiale, lors des Trente Glorieuses. La reprise de l'activité économique incite, une fois de plus, les entreprises à recourir massivement à l'immigration. Le taux d'immigration atteint un niveau que la France n'avait jamais connu dans le passé. Entre 1962 et 1982, la population algérienne passe de 350 000 à plus de 800 000 personnes (dont 90 000 « harkis »). Mais au cours de cette période, ce sont les Portugais qui connaissent le plus fort taux d'accroissement (de 90 000 à 760 000 personnes), suivis par les Marocains (de 31 000 à plus de 440 000) et les Tunisiens (de 26 000 à 190 000). Dans le même temps, on constate un fort développement des immigrations en provenance des autres pays africains (17 000 en 1962, 157 000 en 1982) et d'Asie du Sud-Est. 110 000 réfugiés fuyant les guerres civiles dans les pays issus de l'ex-Indochine (les « boat people ») sont accueillis en France entre 1975 et 1980.

Les nouveaux venus sont orientés vers les secteurs les plus difficiles du marché du travail (agriculture, BTP) et vers les emplois d'OS. Ils sont aussi les premières victimes de la crise du logement. Beaucoup d'entre eux vivent dans les énormes bidonvilles qui se sont constitués à la périphérie des grandes villes, notamment en région parisienne.

Les années 1960 sont importantes aussi sur le plan juridique. Depuis la fin du XIXᵉ siècle, les immigrants étaient répartis en trois grandes catégories : les étrangers appartenant à un État indépendant, les réfugiés politiques et les indigènes des colonies. En 1951, la convention de Genève sur le droit d'asile crée un véritable statut international pour les demandeurs d'asile, ce qui leur donne des droits plus importants que ceux des autres étrangers. Quelques années plus tard, le traité de Rome, signé en 1957, marque le début de la construction européenne. L'une de ses principales conséquences réside dans l'égalisation progressive des droits entre les nationaux et les ressortissants des autres États membres de l'Union. L'émergence de cette « citoyenneté européenne » explique que le clivage principal entre « eux » et « nous » tende désormais à séparer ceux qui font partie de cette communauté et les autres.

Au début des années 1970, l'État français commence à restreindre fortement l'immigration, au nom d'une politique de « maîtrise des flux ». La crise économique qui débute peu de temps après conforte ce changement de cap. Depuis cette date, seuls les étrangers concernés par le regroupement familial et les demandeurs d'asile ayant obtenu le statut de réfugiés sont autorisés à s'installer dans l'Hexagone. La conséquence logique de ce retournement de conjoncture se lit dans les statistiques. La population étrangère continue à progresser faiblement entre 1975 et 1982 (3,4 millions à 3,7 millions de personnes), puis elle diminue régulièrement pour atteindre un étiage de 3,3 millions d'individus en 1999. Les chiffres relatifs à la population active confirment les tendances déjà très perceptibles pour les périodes antérieures, concernant les inégalités entre les nationaux et les étrangers. En 1999, près de la moitié des actifs étrangers sont ouvriers, contre un quart des Français de naissance. En ce qui concerne le chômage, le contraste est encore plus spectaculaire. En 2002, en moyenne 8,3 % des Français étaient demandeurs d'emploi, contre un quart des actifs non-ressortissants d'un État de l'Union européenne. Chez les jeunes appartenant à ce dernier groupe, le taux de chômage atteint 36 % !

Ce rapide survol des grandes phases de l'immigration montre qu'en France elle a toujours été étroitement liée aux rythmes de l'activité économique. Trois grands cycles se dégagent : la fin du XIXᵉ siècle, l'entre-deux-guerres et les années 1950-1970. Chacun de ces cycles a vu se succéder une période d'afflux de travailleurs étrangers, puis une période de stabilisation qui a entraîné un début d'intégration collective des nouveaux venus au sein de la société française. Aujourd'hui, il semble que nous soyons parvenus au terme de ce processus séculaire. La transformation du marché du travail, et la persistance d'un chômage structurel massif de longue durée, rendent peu plausibles de nouveaux recrutements massifs d'immigrés. Néanmoins, la plupart des experts s'accordent pour prévoir un retour de l'immigration. Le vieillissement de la population européenne et les besoins en main-d'œuvre dans certains secteurs particulièrement difficiles (BTP, hôtellerie) incitent les pouvoirs publics et les entreprises à se tourner à nouveau vers les travailleurs étrangers. Pour le moment, ce phénomène est encore peu marqué en France, mais il est déjà nettement perceptible dans les pays voisins. En 2001, l'Europe a accueilli 1,2 million d'immigrants, soit plus que les États-Unis et le Canada réunis.

Le paradoxe de la période 1980-2000 tient au fait que, depuis le début du XXe siècle, jamais les chiffres de la population étrangère recensée en France n'ont été aussi stables, mais jamais les polémiques sur la question de l'immigration n'ont été aussi intenses dans l'espace public. On comprend, dans ces conditions, l'importance des enjeux de mémoire. Le refus de considérer l'immigration comme un aspect légitime du passé collectif de la nation française a facilité la résurgence des discours xénophobes, à partir des années 1980. Il est donc nécessaire que les acquis de la recherche historique soient aujourd'hui relayés au niveau de la mémoire collective. L'ouverture de la Cité nationale de l'histoire de l'immigration a marqué une étape importante dans le processus de reconnaissance officielle de cet aspect essentiel de l'histoire contemporaine de la France.

Gérard Noiriel
Historien, directeur d'études à l'EHESS

1. *Pour une présentation plus détaillée, cf. Marie-Claude Blanc-Chaléard,* Histoire de l'immigration, *La Découverte, coll. « Repères », 2001, et Gérard Noiriel,* Immigration, antisémitisme et racisme en France. Discours publics, humiliations privées, *Fayard, 2007.*

2. *Gérard Noiriel,* Le Massacre des Italiens, *Fayard, 2010.*

QUAND JE ME SUIS MARIÉE ON A QUITTÉ KINSHASA POUR ALLER EN PROVINCE À LA FRONTIÈRE DE L'ANGOLA.

MON MARI FAISAIT LA COMMISSION DU DIAMANT. MOI, JE VENDAIS DES BIJOUX.

ON ÉTAIT BIEN, TRÈS BIEN.

MON MARI ÉTAIT DANS LA POLITIQUE DANS UN PARTI DE L'OPPOSITION, IL SE BATTAIT POUR LA PROVINCE PARCE QU'IL Y AVAIT TROP DE RICHESSE QUI PARTAIT, DES GENS QUI VOLAIENT ET D'AUTRES QUI N'AVAIENT RIEN.

IL Y AVAIT DE L'OR ET DES DIAMANTS, DU PÉTROLE, DES HÉVÉAS, DU CACAO, UN PORT INTERNATIONAL.

UN JOUR, MON MARI N'ÉTAIT PAS LÀ ET JE DEVAIS REMETTRE À SON ASSOCIÉ 10 000 DOLLARS. COMME LES GENS SONT MALHONNÊTES, J'AI FAIT UN PAPIER AVEC SON ASSOCIÉ QU'ON A SIGNÉ, UN PAPIER CHACUN.
JE TROUVE QUE C'EST LÉGAL QUAND ON DONNE QUELQUE CHOSE DE PRÉCIEUX À QUELQU'UN, ON DOIT SIGNER UN PAPIER.

IL PARTAIT EN ANGOLA.

LES SOLDATS L'ONT ARRÊTÉ À LA FRONTIÈRE. ILS ONT FOUILLÉ LA VOITURE ET ILS ONT TROUVÉ LA CARTE DU PARTI D'OPPOSITION ET LÀ ILS ONT PROFITÉ.

ILS ONT TROUVÉ LE PAPIER QUE J'AVAIS SIGNÉ ET ILS SONT VENUS NOUS ARRÊTER.

C'ÉTAIT EN OCTOBRE 2007 TÔT LE MATIN.

MON MARI NE SAVAIT PAS QUE SON ASSOCIÉ AVAIT ÉTÉ ARRÊTÉ.

ON A ENTENDU DES GENS QUI FRAPPAIENT À LA PORTE. ILS ONT DIT QUE C'ÉTAIT LA POLICE.

ILS VOULAIENT SAVOIR D'OÙ VENAIT CET ARGENT. ILS ONT DIT QUE CET ARGENT ALLAIT SERVIR AUX ANGOLAIS POUR ACHETER DES ARMES.

ILS M'ONT DÉPOSÉE AU COMMISSARIAT ET ILS ONT EMMENÉ MON MARI JE NE SAIS PAS OÙ.

JE SUIS RESTÉE DEUX SEMAINES AU CACHOT.

D'OÙ VIENT CET ARGENT ?

TU ES CONTRE LE RÉGIME ET LE PRÉSIDENT !

UN SOIR, UN CHEF EST VENU ET IL M'A FAIT SORTIR.

MADAME, C'EST VOTRE DERNIÈRE CHANCE !

J'AI DIT QUE JE NE SAVAIS PAS.

ILS M'ONT MISE FACE CONTRE SOL À L'ARRIÈRE D'UNE JEEP. ILS M'ONT EMMENÉE LOIN À CÔTÉ D'UNE MONTAGNE. IL Y AVAIT LE FLEUVE EN BAS ET DES MAISONS INACHEVÉES.

ILS ONT COMMENCÉ À ME TORTURER, À ME MASSACRER LÀ, ILS ONT FAIT TOUT CE QU'ILS DEVAIENT ...

CE QU'ILS ONT TROUVÉ BON DE FAIRE

ILS M'ONT TAPÉE PARTOUT LÀ AVEC LEURS MATRAQUES, ILS M'ONT MÊME CASSÉ L'INTESTIN.

MAINTENANT J'AI UN SÉRIEUX PROBLÈME DE COLONNE VERTÉBRALE ET D'INTESTIN.

ILS ONT FAIT TOUT CE QU'ILS DEVAIENT FAIRE. ET PUIS, QUAND ILS ONT VU QUE JE SAIGNAIS

IL FAUT ARRÊTER !

IL A DIT AUX AUTRES PARCE QUE LUI IL AVAIT DÉJÀ FAIT CE QU'IL DEVAIT FAIRE, ET LES AUTRES AUSSI ILS AVAIENT LA BIÈRE, ILS AVAIENT LES PRÉSERVATIFS, ILS AVAIENT LES CIGARETTES, ILS AVAIENT TOUT.

QUAND ILS ONT VU QUE JE SAIGNAIS BEAUCOUP, IL Y AVAIT DU SANG QUI COULAIT COMME DE L'EAU COMME ÇA, ILS ONT DIT IL FAUT ARRÊTER IL FAUT L'EMMENER À L'HÔPITAL.

SI ELLE MEURT, CE SERA UN AUTRE PROBLÈME.

LA DAME ELLE EST ALLÉE SE LAVER ET ELLE A VOULU S'ÉVADER, ON LUI A DONNÉ CE QU'ELLE MÉRITAIT.

MADAME, VOUS AVEZ AGGRAVÉ VOTRE SITUATION.

QUAND VOUS SORTIREZ D'ICI VOUS IREZ LOIN, TRÈS LOIN.

JE NE PEUX PAS LA LAISSER REPARTIR, JE VIENS DE LA RECOUDRE, ELLE VA FAIRE UNE HÉMORRAGIE.

JE VAIS VOUS MONTRER CE QUE J'AI RECOUSU.

NON, C'EST UNE REBELLE. JE NE SUIS PAS VENU VOIR LE CORPS D'UNE REBELLE.

FAIS CE QUE TU PEUX, NOUS ON VA PARTIR AVEC ELLE.

ELLE A ÉTÉ TABASSÉE ET VIOLÉE.

IL M'A DIT DES GROS MOTS, IL M'A INSULTÉE BIEN QUE J'AIE TRÈS MAL. JE PLEURAIS, JE PLEURAIS.

MES HOMMES NE PEUVENT PAS FAIRE ÇA.

LE MÉDECIN A DIT QU'IL APPELLERAIT MA FAMILLE.

J'AI DONNÉ UN NUMÉRO D'UNE FILLE AVEC QUI JE VENDAIS SUR LE MARCHÉ.

J'AI VU LE MÉDECIN DISCUTER AVEC UN DES SOLDATS. LE SOLDAT M'A DIT QU'IL ÉTAIT DE MON VILLAGE.

IL VOULAIT ÊTRE GENTIL AVEC MOI MAIS MOI J'ÉTAIS FOLLE. JE VOULAIS PLUS VOIR QUELQU'UN AVEC UNE TENUE,

MÊME AUJOURD'HUI JE NE LE SUPPORTE PAS.

MES ONCLES ILS ONT TÉLÉPHONÉ MAIS MOI JE NE SAVAIS MÊME PAS CE QUI SE PASSAIT.

J'AI DIT À MES ONCLES OÙ ÉTAIT CACHÉ TOUT L'ARGENT DE MON MARI.

ILS AVAIENT LAISSÉ DEUX SOLDATS POUR ME GARDER.

CE SOIR TU VAS METTRE UNE ROBE ET UN FOULARD SUR LA TÊTE. TU VAS SORTIR PAR-DERRIÈRE, DES GENS VIEN-DRONT TE PRENDRE.

JE SUIS SORTIE, J'AI VU DES GARÇONS QUI ME FAISAIENT SIGNE, ILS M'ONT FAIT ENTRER DANS LA VOITURE LA TÊTE SUR LE SOL COMME L'AUTRE FOIS, APRÈS ILS ONT CHANGÉ DE VOITURE, MON ONCLE ÉTAIT DANS LA DEUXIÈME

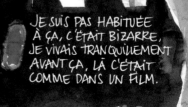

JE SUIS PAS HABITUÉE À ÇA, C'ÉTAIT BIZARRE, JE VIVAIS TRANQUILLEMENT AVANT ÇA, LÀ C'ÉTAIT COMME DANS UN FILM.

MA TANTE D'ANGOLA M'A ÉCRIT APRÈS QUE JE SUIS VENUE EN FRANCE POUR ME DIRE QUE MON MARI ÉTAIT DANS LA BROUSSE. UN MONSIEUR MILITAIRE L'AVAIT AIDÉ. JE NE SAIS TOUJOURS PAS OÙ IL EST AUJOURD'HUI.

QUAND JE L'AI AU TÉLÉPHONE IL ME DIT :

JE NE VEUX PAS TE FAIRE DU MAL, JE SUIS EN DEHORS DU PAYS ...

ILS AVAIENT PAYÉ TOUT LE MONDE AVEC L'ARGENT DE MON MARI.

UN JOUR JE VOIS MES DEUX ONCLES VENIR, ILS ÉTAIENT TOUT AGITÉS.

QUAND ILS ONT DÉCOUVERT QUE TU N'ÉTAIS PLUS À L'HÔPITAL ILS SONT DIRECTEMENT ALLÉS ARRÊTER TON PAPA. ILS L'ONT MENACÉ, ILS L'ONT TAPÉ.

LES POLICIERS DISAIENT QUE MON PAPA ME SOUTENAIT. PAPA A FAIT UNE CRISE LÀ-BAS, ILS L'ONT AMENÉ À L'HÔPITAL.

JE VEUX ME RENDRE, JE SAIS COMMENT ILS FONT, JE NE VEUX PAS QU'IL SOUFFRE.

UNE NUIT ON EST MONTÉS DANS UN CAMION, ON EST ALLÉS VERS KINSHASA. J'AI UNE TANTE QUI VIT AU VILLAGE.

JE SUIS RESTÉE LÀ PENDANT QU'ON CONTINUAIT À ME SOIGNER AVEC DES PLANTES.

MES ONCLES VENAIENT À LA MAISON AVEC DES GENS QUI AVAIENT DES PASSEPORTS, ILS LES REGARDAIENT ET ME REGARDAIENT. ILS DISAIENT "NON ÇA VA PAS MARCHER"

J'AVAIS JAMAIS ENTENDU PAR- LER DES PASSEURS, JE SAVAIS QUE SI QUELQU'UN VOULAIT VOYAGER ET PRENDRE L'AIR IL DEVAIT ALLER À L'AMBASSADE PRENDRE LE VISA ET PARTIR.

JE SERAIS VENUE NORMALEMENT EN EUROPE, JE VIENS, JE VISITE, JE FAIS DU TOURISME QUOI, PARCE QUE LÀ-BAS JE NE MANQUAIS DE RIEN.

UN JOUR ILS ONT APPORTÉ UN PASSEPORT.

ÇA VA ALLER UN PEU.

JE VAIS OÙ ?

TU VAS EN EUROPE MAIS ON NE SAIT PAS OÙ.

APRÈS IL M'A DIT : TU VAS EN FRANCE. J'AI DONNÉ TOUT CE QUI ME RESTAIT D'ARGENT.

J'AI PRIS L'AVION UN SOIR ET JE SUIS ARRIVÉE LE MATIN À PARIS.

QUELQU'UN À L'AÉROPORT M'ATTENDAIT AVEC MON PRÉNOM ÉCRIT SUR UN PANNEAU.

JE CONNAIS TOUTE TA SITUATION, JE VAIS T'EMMENER EN PROVINCE. CE QUE JE VAIS FAIRE AVEC TOI JE LE FAIS PAS AVEC LES AUTRES. NORMALEMENT, JE PRENDS LES PASSEPORTS ET ÇA S'ARRÊTE LÀ.

IL M'A LAISSÉE ICI À L'ASSOCIATION, IL PLEUVAIT, J'ÉTAIS MOUILLÉE, ILS M'ONT ACCUEILLIE.

ON VA À L'ÉGLISE ET À L'ENTERREMENT.

QUEL ENTERREMENT ? JE SUIS L'ENFANT DE PAPA, JE VEUX LUI PARLER. DITES-LUI QUE C'EST SA FILLE QUI VEUT LUI PARLER.

NON, C'EST LUI QU'ON VA ENTERRER.

UN JOUR, JE TÉLÉPHONE À MON PAPA, JE N'ARRIVAIS PAS À L'AVOIR À CHAQUE FOIS.

JE SAIS PAS COMMENT IL EST MORT. ON M'A DIT QU'IL ÉTAIT MORT EMPOISONNÉ MAIS LA VÉRITÉ JE NE SAIS PAS. IL EST MORT SUITE AUX COUPS. IL EST MORT ET JE ME SENS RESPONSABLE. C'EST MOI QUI L'AI TUÉ, S'IL N'Y AVAIT PAS EU LES CHOSES LÀ, C'EST MOI, C'EST MOI QUI L'AI TUÉ. IL EST MORT À MA PLACE.

DEPUIS QU'ON M'A ARRÊTÉE, ON NE S'EST MÊME PAS PARLÉ.

C'EST SANS PITIÉ LÀ-BAS. IL NE FAUT PAS AVOIR DE PROBLÈME AVEC CES GENS-LÀ. JE NE SAVAIS PAS. MON MARI IL ME DIT : "JE NE VEUX PAS VOYAGER ILLÉGALEMENT, JE DOIS TRAVAILLER !" IL EST QUELQUE PART EN ANGOLA.

JE N'AI PAS PRÉVU DE VENIR EN EUROPE DANS CES CONDITIONS, MOI J'AIME MANGER COMME ON DIT PAR MA SUEUR, ME DÉBROUILLER.

LÀ IL FAUT QUE J'ATTENDE QU'ON ME DONNE QUELQUE CHOSE, LES PAPIERS, L'ARGENT, JE DOIS ATTENDRE LES PAPIERS, PARFOIS ÇA ME FAIT MAL.

J'AI DES PROBLÈMES DE SANTÉ AUSSI.

J'EN AI MARRE DE RESTER COMME ÇA. DES FOIS JE DEVIENS TRÈS COLÉRIQUE. QUAND JE RENTRE LE SOIR, SI JE CROISE UN MILITAIRE, J'AI ENVIE DE LE LAPIDER, J'AI UNE HAINE EN MOI.

JE N'AIME PAS PARLER DE MON HISTOIRE AUX GENS, J'ESSAIE DE DIRE LA POSITIVITÉ, J'ESSAIE D'OUBLIER, QUOI—

J'AI PERDU TOUT CE QUE J'AVAIS.

C'EST PAS UN PARADIS ICI, LE PARADIS C'EST CHEZ MOI, QUAND JE VIVAIS LÀ-BAS, CE QUE JE FAISAIS.

J'ÉTAIS RESPECTÉE, ON M'APPELAIT MÊME MAMAN DANS MON QUARTIER, J'AI PERDU CETTE DIGNITÉ ET LES GENS SAVENT CE QU'ON M'A FAIT. J'AI PERDU MA VALEUR, ÇA M'A DÉTRUITE TOUT ÇA.

JE VEUX AJOUTER UNE CHOSE. LES GENS VOUS REGARDENT SURTOUT QUAND VOUS AVEZ DEMANDÉ L'ASILE COMME SI VOUS ÉTIEZ... JE SAIS PAS DES CHOSES.

ILS PARLENT DERRIÈRE VOTRE DOS, JE LE SENS. ILS VOUS MINIMISENT, ILS NE VOUS CONNAISSENT PAS, ILS NE SAVENT RIEN.

JE VEUX ENCORE RAJOUTER : QUAND LES GENS VIENNENT DEMANDER L'ASILE DANS UN PAYS, LA PLUPART NE VIENNENT PAS POUR RIEN NI POUR L'ENVIE DE VIVRE EN EUROPE.

DANS CERTAINS CAS ILS AVAIENT TOUT CE QU'ILS DEVAIENT AVOIR DANS LEUR PAYS MAIS ILS ABANDONNENT PAS PAR PLAISIR MAIS PAR MANQUE DE PAIX.

S'IL VOUS PLAÎT, AIDEZ-NOUS À RETROUVER LA PAIX, PAS SEULEMENT EN EUROPE MAIS PARTOUT DANS LE MONDE.

église de Bobda en mauvais état ←

Je suis né à côté de Timisoara, dans le village de Bobda.

C'est là que j'ai passé mon enfance jusqu'à 14 ans.

Nous étions la seule famille Tsigane, le reste c'était des Roumains. Mon grand-père était mécanicien diesel, on était bien vus grâce à lui.

Mon père, lui, a fait une école de maçons...

J'ai fait aussi l'école de maçons.

C'était difficile en Roumanie pour les Tsiganes. Ce n'était pas une loi, mais il y avait de la discrimination, à l'école ...

Tu diras à tes parents que je ne peux pas te garder ...

IL N'Y A PLUS DE PLACE !

au travail ...

Patron ! Vous avez du travail aujourd'hui ?

NON ! Ni aujourd'hui, ni un autre jour !

Mes grands-parents ont vraiment vécu la discrimination, mon père un peu moins

... le régime communiste était plus indulgent pour les personnes pauvres.

Mais jusqu'à l'entrée de la Roumanie dans l'Union européenne, la situation des Tsiganes s'est peu améliorée ...

On a déménagé à Timisoara quand j'avais 14 ans.

Après j'ai travaillé comme maçon pendant quinze ans.

Ensuite j'ai fait une autre école pour être animateur social.

C'est ce que j'ai fait jusqu'à venir en France ...

La situation familiale n'était pas critique, on habitait dans un quartier roumain mais on vivait avec les Gitans ...

J'ai beaucoup aidé les enfants tsiganes et même leurs parents.

Ça allait bien car je travaillais.

La vie n'était pas extraordinaire, c'était normal ...

Et il y a eu les évènements de Timisoara ...

AAAAH

TATATATA

J'étais dans les manifestations dès le premier jour.

Les policiers ont tué un ami qui était juste à côté de moi.

J'ai organisé des manifestations, j'y suis resté jusqu'au dernier jour. Nous étions beaucoup de Gitans ...

BRRRRRRRR

On espérait des meilleures conditions de vie pour nous et nos enfants.

Avant ils nous mettaient en dehors des villes, on était obligés de rester au même endroit. Il y avait peu de Gitans dans les villes.

Aujourd'hui on est partout, on est libres.

On n'est pas dans les meilleurs termes avec les Roumains, mais c'est mieux qu'avant !

Je suis venu en France parce que ma fille avait l'hépatite B.
Il n'y avait pas les conditions en Roumanie pour la traiter.

S'il n'y avait pas eu la maladie de ma fille, je ne sais pas si je serais parti.

Quand je suis venu en France, je suis allé sur un terrain, chez ma nièce. Il n'y avait que des caravanes, pas d'électricité et de la boue partout. Je suis resté cinq jours.

J'ai fait la manche et j'ai vu que ce n'était pas comme en Roumanie, les Français avaient un grand cœur.

Après la police est venue...

Ils sont entrés avec des chiens, comme au temps d'Hitler.
On ne disait rien. Ils ont pris tout le monde et ils nous ont jetés du terrain, ça ne les intéressait pas de savoir où on irait...

En voyant ce que la police faisait avec les Roms...

J'ai vu le lager d'Auschwitz !

Là, mes impressions de la France, de l'État, français ont changé... Plusieurs Gitans m'ont dit que c'était comme ça en France !

Je suis juge* dans la communauté rom et beaucoup de Tsiganes voulaient que je reste avec eux.

*Le tribunal gitan s'appelle "La kriss" (krixta pàgi)

OLÉ!

BÈÈÈÈ ÈÈÈÈ

grrrr

On a changé de terrain et la police est encore venue au bout de trois jours.

On s'est rapprochés de Paris et on nous a expulsés d'un autre terrain.

Encerclez-moi cette racaille !!

DIKÀV* LES KLISTÉ !

*v'là les flics !

On est venus à Saint-Denis, le jour de Pâques, en 2001. On est arrivés avec les caravanes et à 8 heures la police est venue. Ils voulaient nous expulser. On voulait donner les enfants pour qu'ils les emmènent quelque part, qu'ils restent tranquilles, et qu'ils nous laissent deux jours pour partir.

J'ai rencontré une femme qui était docteur, elle venait soigner les enfants sur les terrains.

On a fait un comité de soutien et on est allés à la mairie.

On voulait rester un mois sur le terrain...

CALENDAR CRESTIN ORTODOX 2010

Le maire est venu voir la situation des familles et il a eu un grand cœur, il a fait un contrat pour qu'on reste cinq ans sur le terrain.

Ils ont mis l'eau, l'électricité, les toilettes et ils ont enlevé les poubelles...

18

Je suis resté trois mois. Quand le terrain a été stable, je suis allé chercher ma famille.

Les frontières étaient ouvertes pour passer, on est venus avec une voiture qui faisait des allers-retours.

On avait des visas de trois mois. Après on devait partir en Roumanie pour chercher un nouveau visa. Je l'ai fait jusqu'en 2007, quand on n'a plus eu besoin de visa.

On a fait la manche. On faisait tout pour survivre. Quand j'ai commencé à mieux connaître Paris, j'ai acheté une voiture.

J'allais chercher la ferraille dans les rues et je la revendais. C'ÉTAIT MIEUX.

Quand on est arrivés en France, c'était une vie difficile pour nous. Je ne savais pas parler le français, on ne savait pas où aller travailler. Ma fille est allée à l'hôpital pour être soignée, après elle est allée dans une classe d'accueil pour apprendre le français.

La police venait quand même sur le terrain et faisait des expulsions.

Un jour, ils étaient 350 policiers, ils ont pris certains d'entre nous et nous ont mis dans un bus. Ma famille est restée sur le TERRAIN.

Et au tribunal...

Même si je vais en prison, JE REVIENDRAI !!

Mais il pourra revenir !!...

Je suis arrivé en Roumanie en avion et je suis revenu aussitôt en France.

Je ne suis même pas resté trois heures !

Faire la manche, c'était dur pour moi !

Rien n'a été plus dur dans ma vie jusqu'à aujourd'hui que le premier jour où j'ai fait la manche. Je n'avais pas d'autre choix.

Dans la famille on ne vole pas.

Sur le terrain, je travaillais avec des associations comme bénévole. Les associations ont cru en moi et huit ans après ils m'ont embauché. C'est ce que je fais aujourd'hui, je suis médiateur avec les enfants tsiganes.

C'est dur, je dois parler longtemps avec les familles. On inscrit les enfants à l'école, on voit s'il y a des problèmes... On fait des spectacles traditionnels tsiganes mais c'est difficile quand les gens sont expulsés, il faut tout recommencer à zéro. Les Gitans sont un jour là et un autre ailleurs !

On voulait quitter le terrain comme tout le monde. On y est restés cinq ans. On a connu beaucoup d'échecs ici mais on a voulu rester. Rien n'était donné, c'était dur !

J'ai organisé la première manifestation de Tsiganes en Europe en 2004...

On était plus de 2000. On a manifesté plusieurs fois.

DES PAPIERS POUR NE PLUS ÊTRE EXPULSÉS

TSIGA... DES...

DU TRAVAIL POUR VIVRE

L'ÉCOLE POUR NOS ENFANTS

ENFAN... PA... P... TO...

...SIG... DE ST DEN...

Beaucoup ont quitté le terrain pour avoir une maison, beaucoup d'enfants vont à l'école, beaucoup d'hommes travaillent. Pourquoi?

Comme moi. Parce qu'on a eu le temps!

Parce que le terrain a été maintenu et qu'ils n'ont pas été expulsés.

Les Tsiganes ont eu le temps de scolariser les enfants

et de se trouver un travail...

Si la police expulse quand les enfants commencent à s'intégrer, ils sont obligés de partir

C'est pour ça que les Gitans ne restent pas!

et ils ne savent pas où aller.

PLUTÔT MOURIR QUE PARTIR

Pour les Gitans, s'intégrer à la France est ce qu'il y a de plus précieux dans leur vie.

En Italie, en Espagne, ils donnent des papiers mais ils n'ont ni aide médicale ni rien. En France, c'est difficile mais quand tu travailles, tu peux réussir!

S'intégrer pour une famille, c'est se réaliser, que les enfants aillent à l'école puis à l'université, que les parents puissent travailler et survivre d'un jour sur l'autre.
Aujourd'hui, je travaille, comme tout les Français, je paie tout.
On m'a intégré dans la société.

... C'est la mairie qui nous a donné la maison. On y est depuis trois ans. On nous a mis ici pour voir comment on s'intégrerait. La maison va être détruite mais après on aura un autre logement. J'ai eu mes papiers parce que l'association m'a embauché et qu'elle a attendu trois mois pour que je les obtienne. C'est le problème pour les travailleurs gitans. Un patron attend une semaine maxi quand il a besoin de quelqu'un, pas trois mois pour que la personne ait les papiers!

J'espère que ma femme va trouver du travail, et pour ma fille une école. Pour le reste je n'espère rien !

Pour les Tsiganes, j'espère qu'ils vont s'imposer dans l'Union européenne. Personne ne s'occupe vraiment d'eux. Je voudrais que les autorités s'emparent de leurs problèmes, il n'y a que comme ça qu'ils avanceront !

Si tu tapes les Gitans, si tu les fais partir d'un côté et de l'autre, n'importe quelle race mise comme ça à l'écart ne peut pas s'intégrer. Ici comme en Roumanie, j'ai eu des discriminations, n'importe où où j'allais ...

Il y a aussi des racistes en France, peu mais il y en a. Surtout les politiques ...

En France, la vie n'est pas facile, il faut travailler, rester dans la misère et faire des choses qui ne sont pas bien. Personne ne nous sert les choses comme ça. Il faut travailler et souffrir ! Dans mon exemple, j'ai beaucoup souffert de l'absence de chauffage et d'électricité, de la boue, des rats ...

Des fois, on dormait mouillés parce qu'il pleuvait sur nous. Certains jours on n'avait rien à manger. Mes moments les plus heureux ...

D'abord quand j'ai vu les docteurs qui nous ont reçus pour ma fille. Puis quand j'ai eu la maison. Et enfin quand j'ai eu les papiers parce que c'était sûr que ma situation serait stable en France.

Ce sont les trois évènements heureux DANS DIX ANS DE SOUFFRANCE.

Krist Mirror

22

Ces migrants qui ont fait la France

Par Philippe Rygiel

Les historiens qui évoquent ce qu'ont apporté les migrants étrangers à la France au cours des deux derniers siècles ont souvent tendance à recenser les prix Nobel et les artistes célèbres, qui, migrants eux-mêmes ou enfants de migrants, ont dignement représenté les arts, les sciences et les lettres nationales. De fait, la France peut célébrer, pour la seule littérature, le fils d'Italien Zola, le Russe Troyat, ou encore Romain Gary et même le jeune Goscinny, fils d'immigrés et créateur de l'emblème national qu'est Astérix, et puis bien sûr il y a Picasso ou Chagall, Marie Curie née Sklodowska, Charpak et bien d'autres artistes, savants ou créateurs. Parfois on ajoute à cette liste les victoires sportives que le pays doit aux enfants de l'immigration, évoquant volontiers l'histoire de l'équipe de France de football, qui fut celle du fils de Polonais Kopa avant d'être celle du descendant d'Italien Michel Platini ou de Zinédine Zidane.

Une telle présentation est sympathique, son inspiration souvent généreuse, mais elle conduit à masquer l'importance qu'a eue l'immigration au cours des deux derniers siècles et la part qu'ont prise les immigrés et leurs descendants dans la construction de la France contemporaine. Elle réduit en effet l'impact de l'immigration à la présence en France de quelques personnalités exceptionnelles, qui illustrent l'excellence française, mais n'en changent pas les formes, comme si chaque vague migratoire ne faisait qu'apporter quelques talents de plus à une France inchangée.

Mais le legs de l'immigration c'est bien plus que cela. L'immigration est en France un phénomène ancien, la présence étrangère un trait permanent de l'histoire contemporaine et celle-ci ne se comprend guère sans référence à celle-là. Cela se comprend si l'on n'oublie pas que les migrants étrangers sont d'abord, pour la majorité d'entre eux, des travailleurs et des travailleuses manuels. C'est la possibilité de trouver un travail qui motive leur départ et l'utilité de ce travail qui conduit à tolérer leur présence, mais qui a toujours suscité des manifestations d'hostilité. On manifeste contre la présence des ouvriers allemands dans le Paris de 1848, les attaques contre les Belges sont fréquentes dans le Nord et on mène des chasses à l'Italien dans le sud de la France à la fin du XIXe siècle, dont la plus célèbre est celle d'Aigues-Mortes en 1893.

Le travail des migrants, qui n'est pas n'importe quel travail puisqu'on les trouve d'abord en nombre dans les mines, dans les champs, sur les chantiers, dans les usines naissantes, est le travail qui, littéralement, permet que soient bâties les infrastructures de la France moderne. On trouve au XIXe siècle des entrepreneurs et des ouvriers italiens sur les chantiers de construction des lignes ferroviaires. Ce sont des mineurs belges, puis polonais et marocains qui, dans le Nord, arrachent à la terre le charbon qui permet l'industrialisation et il n'y a sans doute pas dans ce pays une seule autoroute, une seule ligne à grande vitesse ou un seul grand chantier qui n'ait pas nécessité l'emploi de travailleurs étrangers. Le supporter qui va au Stade de France encourager son équipe applaudit certes aux exploits d'un groupe où migrants et descendants de migrants sont souvent nombreux mais, surtout, il ne peut le faire que parce que des mains étrangères ont construit ce stade et probablement contribué à la réalisation des routes ou des voies qui y mènent. Il est possible même qu'il rejoigne ensuite un grand ensemble ou un pavillon à la construction duquel ont participé des maçons italiens, portugais ou algériens. En Picardie ce sont ainsi souvent des maçons étrangers qui montent, après les guerres, les maisons de brique si typiques des paysages de la région, utilisant un matériau produit par les briqueteries locales qui emploient, dès après la Première Guerre mondiale, une forte proportion d'étrangers.

Et la provenance, les habitudes, les goûts parfois de ces travailleurs laissent leur marque. Dans les villes, les artisans du bâtiment introduisent, dans la disposition des pièces, le choix des matériaux ou les éléments de décoration, des touches nouvelles, devenues parfois des éléments typiques des paysages urbains, sans que soit gardée la mémoire des circonstances de leur introduction. Dans les campagnes, fermiers et métayers importent leurs compétences et dans bien des régions ce faisant transforment les modes de culture et les paysages. En Quercy, par exemple, les Italiens durant l'entre-deux-guerres font construire des fosses à purin, « cultivent un trèfle blanc amélioré, qui était une spécialité italienne. Ils entretiennent les prairies avec soin, les amendant avec des composts spéciaux et les enrichissant avec des légumineuses ». Ils sont à l'origine dans cette région de la production laitière.

Ce ne sont pas seulement donc les Français qui sont d'origine étrangère, mais aussi la France, ses paysages, ses traditions, son tissu économique, qui porte la trace des populations migrantes qui l'ont traversée ou s'y sont installées.

Ces hommes et ces femmes, qui édifient, aux côtés souvent d'autres migrants venus des campagnes françaises, la France contemporaine, ses usines, ses routes, ses maisons, sont aussi pour eux des voisins, des collègues, des compagnons de lutte parfois, qui, venus avec leur langue, leur musique, leurs pratiques, prennent place dans les milieux populaires dont les modes de vie, les traditions doivent parfois quelque chose à ceux qui sont venus s'y fondre. En ce domaine, l'exemple le plus célèbre est celui de l'accordéon, qui rythme depuis des décennies les grandes célébrations nationales, né à Paris de l'hybridation des pratiques musicales italiennes et auvergnates, dont les porteurs se côtoient ou se succèdent, s'affrontent parfois, sur les mêmes chantiers et dans les mêmes quartiers. Pensons aussi à la transformation de nos habitudes alimentaires du fait de l'accessibilité à des ingrédients nouveaux, de l'essai de plats exotiques, qu'illustre aujourd'hui le succès de la cuisine asiatique souvent introduite en métropole par les Vietnamiens d'abord. Mais il est,

lorsque l'on observe la France de près, bien des traditions locales, aux origines souvent ignorées, qui doivent quelque chose à une population migrante. Ce sont ainsi des travailleurs étrangers qui permettent dès le premier tiers du XIXe siècle l'industrialisation de la région de Mulhouse. Ce sont des artisans suisses qui donnent naissance à l'horlogerie bisontine, des entrepreneurs anglais qui sont à l'origine de l'industrie de la dentelle dans la région de Calais. Ce seront plus tard des agriculteurs italiens qui redonneront vie à de nombreux terroirs du Sud-Ouest, y introduisant des variétés, des pratiques culturales nouvelles. À Saint-Ouen en Picardie, le 13 mai, on sort la statue de Notre-Dame de Fatima par les rues, ornées de lampions, et l'on vend le long des trottoirs des spécialités portugaises, héritage de la présence de nombreux Portugais parmi les travailleurs des usines textiles du Val-de-Nièvre.

Ce qui est vrai de la France l'est également de chacune de ses composantes. La présence de populations étrangères se trouve partout, malgré d'évidentes différences d'intensité, c'est un phénomène ancien et permanent dont les traces sont profondément inscrites dans notre environnement, notre quotidien et notre histoire, tellement parfois qu'elles ne sont plus visibles en tant que telles.

Insister sur l'inscription matérielle de la présence immigrée, en chercher les traces dans la pierre, les pratiques populaires, n'est pas dire que les migrants étrangers sont absents de la grande histoire, celle des guerres et des batailles politiques. Il n'est pas de conflit du XXe siècle durant lequel la France en guerre n'a pas mobilisé des troupes ou une main-d'œuvre étrangère ou en provenance des colonies. Il y a parmi les combattants de la Grande Guerre de nombreux soldats venus d'Afrique, cependant qu'à l'arrière travailleurs belges, portugais et indochinois permettent au pays de soutenir l'effort de guerre. L'empire fournit durant la Première Guerre mondiale plus de 600 000 soldats à la France et plus de 200 000 travailleurs à la métropole. Les troupes de la France libre qui participent à la libération de la métropole en 1944 sont composées en bonne partie d'hommes venant d'Afrique du Nord, cependant que les étrangers sont nombreux dans les maquis qui harcèlent les troupes allemandes faisant retraite, et plus généralement au sein de la Résistance dont le groupe Manouchian, immortalisé par l'affiche rouge, est le symbole. Et parmi les troupes envoyées en Indochine, les étrangers, notamment les Allemands, et les originaires d'Afrique du Nord sont nombreux.

Le rappeler n'est pas ajouter une note de bas de page à un manuel d'histoire. Ces soldats jouent un rôle clé et il n'est pas interdit de penser que la France n'aurait, durant la Première Guerre mondiale, pas pu soutenir les offensives allemandes si elle n'avait pas bénéficié des ressources de l'empire et surtout de ses hommes. De même, la France libre aurait eu bien du mal à aligner sur les terrains de la Seconde Guerre mondiale les troupes lui permettant de revendiquer une place parmi les vainqueurs si elles avaient été réduites aux forces des seuls Français de France.

De même, bien des migrants ont été acteurs des grands conflits politiques qui marquent l'histoire de France. Des républicains enthousiastes se joignent à la grande nation durant la Révolution, des volontaires garibaldiens, et le vieux Garibaldi lui-même, venu d'Italie avec ses fils, participent aux côtés des troupes françaises à la guerre de 1870, et surtout peut-être des hommes et des femmes venus d'ailleurs contribuent à l'édification des structures politiques et syndicales liées au monde ouvrier, parce que le plus souvent ils appartiennent à celui-ci, y jouant parfois un rôle décisif. Ainsi le Parti ouvrier français de Jules Guesde, ancêtre du mouvement socialiste, a, à la fin du XIXe siècle, pour terre d'élection le Nord, en particulier la conurbation de Lille-Roubaix-Tourcoing. Ils sont si nombreux en son sein, et contribuent si fort à en définir les caractéristiques, que les adversaires de Guesde le surnomment le député des Belges. Les migrants seront nombreux aussi parmi les défilés de 1936 et les organisations ouvrières ne comptent plus les enfants de migrants qui contribuèrent à leur histoire et parfois les dirigèrent. Un Henri Krasucki, né dans les faubourgs de Varsovie, résistant, déporté, puis après la Seconde Guerre mondiale cadre communiste et secrétaire général de la CGT de

1982 à 1992, est un symbole de cette histoire, lui à qui une journaliste du *Figaro* reprochait en 1987 de critiquer la politique de la France alors qu'il n'était qu'un Français de fraîche date.

Parler alors d'apport de l'immigration et des migrants à l'histoire de France n'a pas grand sens. La France d'aujourd'hui est le produit d'une histoire dont l'immigration est une dimension, parfois décisive, et les migrants des acteurs. Penser l'immigration uniquement comme un problème, un phénomène récent, ou une perturbation extérieure du cours normal de l'histoire du pays, c'est se condamner à ne rien comprendre du monde dans lequel nous vivons et oublier que l'immigration est prise dans notre histoire.

Philippe Rygiel
Maître de conférence à Paris I, directeur adjoint
du Centre d'histoire sociale du XXe siècle

J'ai passé mon enfance principalement en Iran, avec beaucoup de voyages parce que mes parents ont beaucoup voyagé, en France et ailleurs dans le monde. En France, mes parents avaient un hôtel de prédilection dans le Quartier latin à Paris où mon père avait logé quand il était étudiant. On partait aussi en vacances en Bretagne, dans les côtes-d'Armor.

J'ai des souvenirs vagues parce qu'on est venus régulièrement jusqu'à mes 8 ans, mais après les évènements politiques en Iran, mes parents ne m'emmenaient plus et ensuite ils ne pouvaient plus sortir. J'ai des souvenirs de Paris, de leurs amis, des enfants avec qui je jouais. Ce sont des souvenirs agréables. Ça se mélange avec les paysages, l'architecture.

Quand mes parents m'ont demandé en quelle langue je voulais étudier à l'école primaire, avec les souvenirs et la culture familiale, j'ai bien sûr choisi le français. Je suis allé dans une école française où on étudiait en persan le matin et en français l'après-midi. Je vivais entre deux langues et deux cultures. J'aimais bien, ça me permettait de m'ouvrir inconsciemment à ce qu'on peut appeler la diversité des cultures.

Maintenant c'est devenu banal mais, à l'époque, je ne le définissais pas, je le vivais.

À la fin du collège, il y a eu la victoire de Khomeyni, l'atmosphère politique a changé. Ils ont commencé à fermer toutes les écoles étrangères, ils disaient que cet enseignement était un plan des impérialistes pour détruire le pays. Ils ont démantelé l'école française, je ne pouvais plus aller au lycée français comme prévu.

Avant cela, moi, mes copains et toute ma famille, on était révolutionnaires contre le Shah.

C'était des manifestations violentes. Au début on était contents de cette chute, on croyait qu'un régime démocratique allait les remplacer mais c'était une ambiance illusoire, enfantine presque.

Khomeyni a pris la tête du régime, totalement couvert par les medias européens et américains, et même par leurs gouvernements, nous on continuait à participer à la révolution, il y a eu la victoire. J'avais 13 ans. Tout le monde a fait la fête, c'était la folie et le bonheur.

Après, petit à petit, les choses ont commencé à changer.

George Orwell a très bien décrit ça dans ses romans. C'est étrange, les démocrates ne se sont pas rendu compte de l'accélération de la construction du système de miliciens et de l'armée religieuse. On s'est retrouvés face au système de Khomeyni, armé, organisé, qui tirait sa force de milieux pauvres et religieux. Il y a eu les manifestations réprimées et les confrontations armées.

Ça s'est mélangé avec l'attaque de Saddam Hussein qui profitait de cette situation pour occuper le sud-est de l'Iran mais c'était du pain béni pour le régime qui, en utilisant le sens nationaliste du peuple, a mis fin aux mouvements d'opposition. Il y a réussi. Il y a eu des répressions violentes. J'étais dans un lycée où plusieurs lycéens ont été tués. Il y a eu des dizaines de milliers de morts et les prisons étaient des lieux de massacre.

Moi j'étais attiré par les mouvements de gauche mais quelque chose m'a sauvé. Si j'avais continué, j'aurais pu être tué. En fait, mon esprit critique me perturbait dans ce mouvement marxiste. À chaque réunion je critiquais et j'ai été évincé juste avant la répression finale. Mes camarades ont été tués. J'ai été interrogé et menacé de ne plus

pouvoir m'inscrire au lycée. Une fois, notre lycée a été encerclé, ils ont attaqué et grâce à un Bassidji qui m'aimait bien, je me suis enfui par une terrasse et je suis entré dans un cinéma pendant la répression. Il y a eu des blessés, ils ont fermé l'école et plusieurs élèves ont été fusillés. C'était une période très sanglante...

Et ils ont fermé le Centre Culturel français, le seul endroit qui avait résisté. J'avais fréquenté le Centre tous les après-midi pour passer un diplôme de langue française qui s'appelait la Sorbonne et que j'ai eu juste avant la fermeture. J'y rencontrais des copains, des filles, je regardais des films.

Ces fermetures, ça faisait partie d'un ensemble, on risquait notre vie et ça devenait un cauchemar. Cela faisait partie d'une nuit qui... ...tombait brusquement. C'était une période très noire, il y avait la guerre, des morts tout le temps, Saddam Hussein bombardait ma ville souvent. Des gens mouraient de la guerre et d'autres répressions.

Pendant cette période, je n'ai jamais autant lu de ma vie. Surtout des romans persans, français et d'autres. Mon père avait une bibliothèque énorme, j'ai lu beaucoup d'écrivains français, les philosophes du XVIIIe siècle qui ont influencé la révolution française, Montesquieu, Diderot, Rousseau, Voltaire. J'ai lu aussi Stendhal, Hugo, Malraux, Faulkner... ça m'a beaucoup apporté. On n'avait pas grand-chose, si on sortait, soit on se faisait arrêter, soit il y avait des bombes. Cela a contribué à une ouverture au monde chez moi, mes parents m'ont tout le temps encouragé. C'est la période la plus forte de mon point de vue.

J'avais l'image d'un pays très démocratique, très ouvert, très libre, très humain, qui reflétait mes lectures. C'était le berceau de la civilisation moderne.

Comme j'étais bon élève, j'ai fait mon diplôme d'ingénieur à l'Université et ensuite j'ai fait mon service militaire dans la marine pour travailler sur les problèmes d'isolation des sous-marins. Pendant deux ans, de 1988 à 1990. Au début, je suis allé sur une île qui était tout le temps bombardée par Saddam Hussein et j'ai fini mon service à Téhéran. Je ne me suis jamais battu, j'ai appris des choses et j'ai eu de nouvelles amitiés, c'était plutôt agréable.

Pendant mon service, j'ai aussi travaillé comme traducteur pour le cinéma iranien. Je faisais l'interprète pour le festival de Téhéran. J'ai rencontré beaucoup de gens intéressants, comme Serge Daney. J'ai travaillé ensuite comme assistant. J'avais 25 ans, je faisais plein de rencontres dans le milieu culturel de Téhéran, des jolies filles... C'était génial.

Ensuite j'ai été embauché comme ingénieur dans une société qui construisait des centrales thermiques. Je gagnais bien ma vie, j'étais intégré dans le milieu...

...underground de Téhéran qui était un milieu très hédoniste et un peu fou, surgi des cendres des mouvements d'opposition qui avaient été anéantis.

Mais l'idée de venir en France s'était forgée dans ma tête lors de la grande répression de 1982. Ces jours-là, je me suis dit que je devais partir, ne pas rester dans ce pays. C'était une idée fixe. Je faisais tout mais je savais que je devais partir. Ma famille était intellectuelle, mais pas très riche. Mon père était recteur et professeur, il avait été limogé quand ils ont islamisé l'université. Ma famille ne pouvait pas et ne voulait pas payer pour que je quitte le pays en évitant le service militaire. Et moi je voulais faire un doctorat.

Avoir des plaisirs quotidiens ne me suffisait pas pour pallier la noirceur d'un système dictatorial. Et j'avais cette vision féerique et idéaliste de la France.

C'est dans une fête à l'Ambassade de France que j'ai appris qu'il y avait un concours du ministère des Affaires étrangères pour venir faire des études en France. J'ai passé cet examen et j'ai eu une bourse.

Sans cette bourse, cela aurait été difficile de venir en France. Quand j'ai appris que je l'avais eue, c'était inimaginable pour moi. C'est un rêve qui se réalisait. Quand je suis monté dans l'avion et qu'une belle hôtesse de l'air m'a dit en français :

Bonjour monsieur.

Hein ?

Bonjour.

Un café monsieur ?

Oui merci.

C'était le bonheur, j'avais réussi.

Ma bourse était de quatre ans mais pour moi, je partais de l'Iran, le système m'insupportait terriblement. Je ne trouvais pas un équilibre dans ma vie comme d'autres, c'était éthiquement impossible. En voyant que tout le monde avait oublié tous ces gens qui avaient été tués, ça avait été un choc et je m'étais dit que je ne voulais pas finir comme eux.

...et avec un croissant s'il vous plaît.

Servez-vous monsieur.

Quand je suis arrivé en France, je n'ai pas eu de vrais problèmes d'intégration. J'ai commencé à rencontrer des gens, à avoir des amis, à tisser des liens. Je n'ai pas senti le poids d'être un étranger. Je pense qu'il y a en France des personnes ouvertes et intéressantes et si on est nous-mêmes prêts à franchir les choses... Par contre j'ai eu une désillusion culturelle. Je croyais que je pouvais discuter avec n'importe qui de Stendhal, Malraux, de la Commune de Paris... Au début ça me chagrinait de voir qu'il y avait une grande partie des Français qui étaient incultes, je me demandais pourquoi.

Bien sûr c'était une illusion, tout le monde ne peut pas être intéressé par des choses qui nécessitent une démarche travaillée et lucide avec des bonnes chances dans la vie. Mon attente était un peu absurde mais c'était dû à l'impossibilité de sortir d'Iran pendant quinze ans et tout d'un coup de sortir avec ce que j'avais construit là-bas. Je me suis rendu compte que l'on peut rencontrer des gens de façon transversale. La générosité, c'est universel.

J'ai trouvé mon équilibre mais cette déception me suit, une grande partie de la société est manipulable par les médias et peut voter pour des gens qui vont détruire ses intérêts. C'est rageant, cette rage à très vite existé en moi. Je n'ai pas été confronté à un racisme ou un refus de la société, je sais que ça existe et que j'ai eu beaucoup de chance, comme disent les Anglais, c'est le point de croisement du hasard et du fait d'être prêt à accueillir ce hasard. J'étais prêt à trouver ma voie dans ce bordel qu'est la société.

En fait, dès le début, je ne me suis pas senti comme un immigré mais comme quelqu'un de transplanté, comme un coeur qu'on enlève d'un corps près de mourir et qu'on transplante dans un autre corps. Ou, comme le dit l'écrivain d'origine russe Andreï Makine, un arbre qu'on enlève et qu'on replante ailleurs. J'ai eu bien des difficultés, pour ma thèse je suis tombé sur un professeur avec des idées reçues sur les étrangers ; il m'a un peu embêté. C'était amer pour moi mais j'avais d'autres soutiens universitaires. Pour passer ce problème, j'ai dû faire mes preuves. J'ai fait ma thèse entre Lille et Toulouse, cela s'est finalement bien passé, après j'ai eu un contrat à l'ENS Cachan, j'ai fait un 2e post-doctorat en Écosse et ensuite j'ai eu un poste en France. J'ai ce travail depuis dix ans, je fais ce que je veux, je ne gagne pas énormément d'argent mais je n'échangerais pas ma liberté contre un salaire dix fois supérieur.

J'ai toujours mon père en Iran. J'avais ce rapport avec mon pays de quelqu'un qui construit sa vie ailleurs et qui le retrouve de temps en temps. J'avais ma vie en France. J'avais traversé tout ça, cette situation complexe, pleine de richesses et pleine de désillusions, pleine d'amour et d'étonnement. L'Iran était mon enfance, mon

passé. Un pays qui était tombé dans le piège d'un système.

Mais les récents évènements et ce qu'on appelle la révolution verte m'ont complètement bouleversé. Ce régime paraissait si puissant, si établi et si incontestable... Tout d'un coup, tout ce qui était enfoui dans chaque Iranien est sorti comme une thérapie de choc. Mon rapport à l'Iran a changé, depuis j'y pense au présent. Je me sens entre deux cultures d'une façon actuelle. À présent, les deux pays sont mon présent. Il y a beaucoup de souffrance et de morts mais le fait qu'une société puisse se relever après 31 ans d'un régime, c'est quelque chose qui m'émeut de façon permanente. Je ne pense pas en disant cela que je pourrais y vivre.

C'est plutôt que je ne me voyais pas encore m'investir pour l'Iran. Et là, j'ai envie de faire des choses. Pouvoir avoir un rôle individuel pour ce pays qui est en train de bouger et qui boucle un cycle historique,...

...ce qui prendra du temps. Si je peux ici, en France, jouer un rôle dans l'évolution de l'opinion publique française, je le ferai.

Je trouve que la situation d'être entre deux cultures n'est pas facile mais en même temps c'est génial. C'est riche et ça permet de ne pas stagner. Et en même temps c'est difficile parce qu'il faut dépenser de l'énergie. Mais c'est pour ça que la vie est intéressante. Ce qui est important, c'est les liens que l'on tisse avec la France. La France est aujourd'hui un pays métissé, il y a beaucoup d'étrangers qui sont devenus français. Ça ne veut pas dire être stéréotypé, cela peut avoir des milliers de formes, de couleurs et de profondeurs. C'est ce qui fait la richesse de la France. Si on essaie d'enfermer ça dans quelque chose de stéréotypé et figé, c'est la mort de la culture française, c'est dangereux aussi.

Pendant longtemps, ce n'était pas important pour moi d'avoir la nationalité française. Je n'y pensais même pas. Je suis allergique à l'administration et il y a ma fainéantise. Même si j'adorais la vie en France, cela ne me venait pas à l'esprit. Mais comme je travaille avec les sciences dures, j'ai eu des problèmes avec ma nationalité iranienne. Cela commençait à me titiller et puis on m'embêtait beaucoup quand j'allais aux États-Unis. Je me suis dit que puisque j'avais décidé de faire ma vie en France, il fallait que cette étape-là soit franchie. J'ai lancé le processus, ça a été long et compliqué. Heureusement que mes ami(e)s m'ont aidé et encouragé !

C'était absurde, mes amis et mes collègues me connaissent comme ça, mon identité s'est imprimée avec mon nom et mon prénom ! Quelque chose s'est tissé ici dans ma vie, comme ça. Finalement, ça a marché en gardant mon nom. Je suis représentatif d'une minorité de gens qui sont venus en France. Je pense qu'il y a des étrangers qui sont restés étrangers en France, pour différentes raisons. Il y a des communautés. Ça ne signifie pas que c'est mauvais, mais je crois que si la façon dont la République

On m'a dit un jour que pour que ma demande soit accueillie encore plus positivement, je pourrais franciser mon nom et mon prénom.

française traite et accepte les étrangers était décente et juste, ces communautés se dilueraient peu à peu dans quelque chose de plus large qui est la Nation. Pour les jeunes surtout, c'est très important. Les enfants des étrangers sont très sensibles à tout ça.

Mais la politique de l'État est de plus en plus une politique de méfiance, soit t'es dans l'identité nationale, soit t'es foutu. Il faut une politique aussi complexe que l'est l'immigration. La langue est essentielle. On ne peut pas aller loin dans cette plongée dans la société sans bien parler, comprendre et écrire le français qui est une langue difficile. Dans les rapports avec mes amis, je me sens appartenir à une culture, une civilisation, être accueilli là-dedans et y être dilué.

Le lien, c'est ça qui est extraordinaire.

Je suis né en Gambie, dans la capitale, qui s'appelait Bathurst avant que le pays ne soit indépendant. - en 1965 -

Après on l'a renommée Banjul.

Mon père était officier, chauffeur de bus, dans l'armée britannique.

Il a été affecté en Sierra Leone, à Freetown, c'est là que j'ai vécu jusqu'à l'âge de 20 ans.

J'étais immigré mais je ne me sentais pas comme un immigré. On était considérés comme citoyens là-bas. J'ai aimé ce pays, c'était pas mal à l'époque. C'est le premier d'Afrique qui a eu une université, en 1897. Beaucoup de jeunes Gambiens y venaient parce que l'éducation était bonne.

Je suis revenu en Gambie en 1967 pour continuer mes études près de ma mère qui était malade.

J'ai fait deux ans de préparation à l'université

Mais la santé de ma mère ne s'était pas améliorée

Et j'ai été obligé d'arrêter les études et d'aller travailler.

J'ai décroché un poste à la radio nationale et je suis devenu journaliste pendant treize ans.

Après je suis entré en politique, ça s'est fait brutalement.

Ce n'est pas quelque chose que j'ai longtemps préparé.

J'étais connu par la radio au travers de mes émissions. Le pays est petit, je voyageais, je faisais des interviews et je travaillais beaucoup avec les agriculteurs.

J'étais à l'époque comme on dit une petite célébrité (rires).

C'est pour ça que les gens de la population m'ont demandé si ça m'intéressait de me présenter à la prochaine élection parlementaire.

Les gens voulaient que je remplace le candidat du parti majoritaire qui était l'un des membres de l'élite de la capitale imposé depuis l'indépendance.

Mais cette demande n'a pas été acceptée et j'ai été obligé de me présenter comme candidat indépendant.

Naturellement, sans les moyens financiers suffisants et avec une organisation chaotique, j'ai perdu la première bataille.

La deuxième élection, en 1987, j'ai encore perdu mais je commençais à être rodé.

Je voulais continuer, j'avais été piqué par le virus.

Je me suis présenté une troisième fois en 1992, toujours contre le même candidat, et là, j'ai gagné.

Je suis devenu député.

Mais deux ans plus tard, il y a eu un coup d'État, l'armée a pris le pouvoir et j'ai perdu mon statut de député à l'Assemblée nationale. Les partis avaient été supprimés. Les militaires, peut-être parce qu'ils savaient que j'avais toujours été dans l'opposition, m'ont invité à entrer dans le gouvernement.

Je me suis dit : Pourquoi pas ?, si c'est pour vraiment travailler et développer le pays.

À l'époque, le dirigeant de l'armée avait 29 ans, il s'appelait Yayah Jammeh.

Il est toujours président aujourd'hui.

Il m'a donné le poste de ministre des Travaux publics et de la Communication.

Après quelque temps, je me suis rendu compte que je ne pouvais pas faire comme je voulais, les soldats voulaient tout contrôler. C'est devenu compliqué avec eux.

Moi j'étais politicien de quinze ans d'expérience et je voulais faire les choses dans les règles.

Mais eux c'était des militaires, ils voulaient faire avec la force sans écouter la voix des peuples.

Donc j'ai dit non.

J'ai démissionné et c'est à partir de là que mes problèmes avec le gouvernement ont commencé.

J'étais traqué partout, il y avait de l'espionnage jusqu'autour de ma maison.

OPTIC

Ils ont pris mon passeport, je ne pouvais plus voyager, j'étais prisonnier dans mon pays.

37

J'ai essayé de travailler mais les gens capables de vous embaucher ne le font pas parce qu'ils ont peur.

J'ai trouvé des petits boulots à gauche à droite avec mon expérience de journaliste, mais là aussi je ne pouvais pas écrire la vérité.

Toute la famille est mise en cause quand vous êtes en opposition au pouvoir.

C'est difficile même de trouver une bonne école pour les enfants.

Un jour, pendant une campagne électorale, un ami me conduisait et je lui ai demandé de m'arrêter parce que je devais passer des coups de téléphone. Ce n'était pas loin de mon village. Je me suis rendu compte qu'on nous suivait. Une voiture militaire. C'étaient des gens de l'armée, je le savais.

Ils nous ont dépassés et je me suis dit que ce n'était peut-être pas pour nous.

J'ai demandé à des jeunes qu'ils aillent voir.

4

Quand ils sont revenus, ils m'ont dit qu'il y avait là-bas des soldats avec des armes.

Les soldats leur avaient dit de retourner chez eux et de ne pas quitter le village.

Je me suis dit qu'ils voulaient peut-être m'assassiner.

Je suis resté dans le village jusqu'au matin.

Plusieurs fois pendant des meetings, ils ont débarqué et ont dispersé les gens.

La dernière fois, ils ont fait une embuscade sur la route. Ils ont jeté des pierres, il y a eu des blessés et un mort.

Après la police nous a pris et on a été transportés comme des bêtes dans un camion.

On est restés une semaine en prison.

J'ai décidé que ça ne pouvait pas continuer.

J'ai demandé un visa pour la France, ma fiancée s'y trouvait.

L'ambassade de France me l'a accordé parce que la situation politique pour les gens comme moi était précaire.

Je voulais quitter le pays pour toujours, j'avais pris de l'âge et je ne voyais pas ce qu'on pouvait faire pour débarrasser le pays de ce régime.

Même si les militaires avaient enlevé leurs uniformes pour se transformer en civils, c'était toujours eux.

Quand je suis arrivé en France, on s'est mariés avec mon amie et quatre ans après j'ai eu ma nationalité.

Je suis français maintenant.

L'adaptation n'était pas évidente.

Il fallait que j'apprenne le français à 55 ans.

Au Pôle emploi, on m'a dit que je pouvais être dispensé de recherche de travail vu mon âge.

Mais je ne voulais pas être pris en charge par l'État.

Je voulais travailler et apporter quelque chose à mon nouveau pays.

Et c'est ça que j'ai fait.

J'ai essayé de travailler dans un journal mais c'était compliqué à cause de mon niveau de français. Finalement, j'ai donné des cours d'anglais, aux adultes dans les entreprises, à travers des petits contrats. Ma femme avait le projet d'ouvrir un atelier de couture, on a préparé ça.

Ensuite, j'ai appris que le patron d'un hôtel cherchait quelqu'un, je me suis présenté.

Ça fait cinq ans que je travaille comme employé polyvalent de nuit dans deux hôtels.

Le travail que je fais ici n'a rien à voir avec ce que je faisais en Gambie.

Là-bas, j'avais une vie de patron, un chauffeur, des gens qui faisaient des choses pour moi et près de cinq cents personnes que j'ai dirigées.

C'était vraiment une vie différente, ici personne ne me connaît.

J'ai des petits regrets.

Si les conditions politiques étaient bonnes là-bas je serais resté et j'aurais travaillé pour le développement de mon pays.

Je pense toujours à la politique mais maintenant c'est ma femme qui en fait ici. Je la soutiens.

Le travail de nuit, c'est difficile à mon âge. Il y a des tâches difficiles mais sinon ça va.

Quand on obtient la nationalité, ça vous fait travailler la tête. Dans mon esprit, je me dis que j'ai tourné le dos à mon pays et que je dois me conformer aux règles et aux attentes de l'État français. Comment on fait ça ? On apprend la langue, on se familiarise avec la culture du pays et voilà.

J'ai beaucoup travaillé pour apprendre la langue.

Avec notre fille on regarde les dessins animés à la télévision tout en apprenant des phrases et des mots simples.

Pour moi, c'est ça, être tranquille, faire ses devoirs comme n'importe quel citoyen.

En Afrique, je ne réfléchissais pas aux ethnies. Mon rêve, pendant ma vie politique, était d'encourager tout le monde à apprendre à travailler ensemble comme une nation.

Là je sais, vous êtes blanc, je suis noir mais on est tous humains, on est français, je vous respecte et je dois être respecté aussi.

Je me sens de temps en temps un peu immigré, c'est naturel en tant qu'être humain, mais dans mes relations avec les gens, rien ne me montre que je ne suis pas d'ici. La couleur de la peau reste toujours et il y a toujours des individus qui n'acceptent pas cette intégration mais je n'ai pas encore eu ce type de problème.

Ce n'est pas terrible ce qui se passe en Gambie en ce moment. J'ai peur que ce régime nous conduise sur la même route que le Rwanda. Le chef d'État est d'une petite ethnie mais qui aime les fusils, la chasse. Ils sont tous entrés dans l'armée et c'est eux qui dirigent le pays contre le reste de la population.

Si ça craque, personne ne peut dire ce qui va se passer.

Au début des années soixante, il y avait beaucoup d'espoir pour l'Afrique. Mais nos leaders ont raté l'opportunité d'apprendre à travers les échecs des autres parties du monde.

Il vaut mieux que je reste en dehors de ça, tranquille.

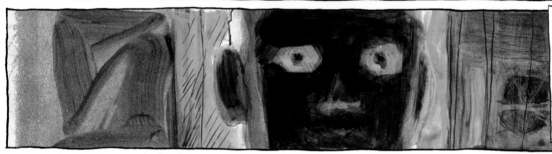

On disait au moment de l'Indépendance du Ghana que l'Afrique avait plus de chances de se développer rapidement par rapport aux pays d'Amérique latine et d'Asie où ils avaient la guerre civile partout.

Mais tous ces pays se sont calmés et ils se mettent sur la route du développement aujourd'hui, sauf l'Afrique.

C'est l'Afrique qui a pris le relais des guerres. Et nos leaders ne voient pas ça. J'espère qu'avec les jeunes qui grandissent il y aura un nouvel esprit. Il faut espérer.

Non je ne dis pas que j'ai été ministre, il y a peu de gens qui le savent ici.

Je le garde pour moi.

Femmes migrantes

Par Michelle Zancarini-Fournel

En France, la vision traditionnelle de l'immigré est restée longtemps celle d'un homme seul, célibataire (ou marié au pays), un manœuvre venu travailler dans l'industrie (à l'exception peut-être des Polonais qu'on sait arrivés en famille[1]). Les femmes migrantes sont ainsi restées longtemps quasiment ignorées des historiens français[2]. Pourtant l'expérience de l'immigration n'est pas identique pour les femmes et pour les hommes. De longue date, on trouve des femmes migrantes dans le travail domestique, les bonnes venues des campagnes françaises du XIXe siècle (comme les Bretonnes) ayant été remplacées par des femmes de ménage espagnoles ou portugaises et plus récemment par des femmes venues d'Afrique du Nord, de l'est de l'Europe ou des Philippines. Les femmes immigrées ont cependant aujourd'hui encore, globalement, un taux d'activité plus faible (en tout cas pour le travail déclaré), notamment pour celles originaires du Maghreb ou de Turquie, mais cette activité est en progression[3]. Le taux d'activité des femmes immigrées âgées de 25 à 59 ans a fortement augmenté dans la dernière décennie du XXe siècle. Au cours de la même période, le taux d'activité des hommes immigrés a reculé de sorte que les écarts entre hommes et femmes migrants sont désormais moins marqués qu'il y a dix ans.

Le déclin des industries minières ou textiles ainsi que l'externalisation des tâches de nettoyage ou de surveillance ont profondément affecté les métiers industriels. Dans le même temps, la place des femmes (comme des hommes) dans les professions intermédiaires a progressé. Cependant les représentations médiatiques mettent surtout en avant l'altérité des migrants et des migrantes, particulièrement en ce qui concerne le corps et les sexualités. C'est le cas particulièrement des femmes d'Europe centrale et orientale présentées comme des prostituées victimes de réseaux mafieux, sans que soit toujours pris en compte qu'à l'origine il y a, pour elles, un projet migratoire dans le but d'épargner « pour subvenir aux besoins de leurs enfants ou de leurs parents, pour ouvrir un commerce au retour, pour échapper aux conflits ou au marasme économique[4] ».

Les historiens se posent toujours les questions à partir du présent. Or, depuis le début du XXIe siècle, une nouvelle catégorie a émergé dans l'espace social français : « les femmes issues de l'immigration ». Déclinée en « beurettes », « filles voilées » ou « femmes des quartiers », la population constituée des descendantes des familles ayant immigré en France et vivant dans les quartiers populaires devient un sujet d'attention politique, scientifique et médiatique. Pensées comme étant l'interface entre la société française et leur famille, ces femmes sont à la fois représentées comme des modèles d'intégration tranquille et utilisées dans l'élaboration d'une image inversée des garçons, repoussoir de figures féminines positives[5]. Ces jeunes filles et ces femmes doivent répondre aux attentes contradictoires de leur famille et de la société française et sont par ailleurs confrontées à l'ambiguïté de politiques publiques qui en font à la fois un modèle d'intégration et les symboles d'une résistance à cette même intégration. Leur mise en scène comme actrices d'une intégration réussie (par exemple dans l'espace scolaire avec la mise en avant de leur réussite ou dans l'espace public lors de la Coupe du monde de football en 1998) cohabite avec l'image de la « jeune fille voilée » qui échapperait aux institutions républicaines et serait soumise aux lois des hommes de la famille et du quartier. La domination masculine est « constitutive de l'édifice symbolique de l'islam[6] » comme elle l'est, sous d'autres formes, pour les autres religions monothéistes, chrétiennes et juive. Les exemples ne manquent pas pour montrer que la situation des femmes ou plus largement les relations entre les sexes, conjugales, familiales, sont un enjeu crucial des relations interculturelles[7].

C'est dans ce contexte d'attention portée aux femmes dont les familles proviennent de pays marqués par le colonialisme français et caractérisés par la prédominance de la religion musulmane que des « militantes de l'immigration[8] » sont apparues sur la scène politique et médiatique. La Marche pour l'égalité de 1983 dénommée ensuite *Marche des beurs* avait montré comment la « deuxième génération d'immigrés[9] » avait su mettre en œuvre une stratégie de visibilité sociale sans que soit posée (malgré la présence de plusieurs filles parmi les marcheurs) la question du genre ou des rapports sociaux de sexe, peu légitime alors scientifiquement et politiquement. Aujourd'hui, on observe que de nombreuses initiatives associatives fondées sur des modes de solidarité et d'entraide ont vu le jour dans les « cités »; on constate aussi que le genre devient le fondement identitaire d'une revendication collective dans l'espace du militantisme lié à l'immigration[10].

Les militantes les plus connues, controversées et médiatisées sont celles de l'association Ni putes, Ni soumises[11] qui interpelle les pouvoirs publics à propos des violences sexistes dans les quartiers populaires[12]. La République est ainsi convoquée par le mouvement pour combattre ce qu'il considère être les deux principales causes des violences envers les femmes dites « issues de l'immigration » (et en particulier envers les jeunes femmes) : la dégradation des conditions d'existence dans les cités et la « montée de l'islam intégriste ». Or, la question de l'islam est plus complexe qu'il n'y paraît. Les recherches portant sur la situation de l'islam dans les pays occidentaux convergent dans l'analyse des effets des attentats du 11 Septembre 2001. Elles soulignent le renforcement des discriminations et de la méfiance à l'égard de la population musulmane. Dans ce contexte, la situation des militantes qui défendent les droits des femmes est particulièrement difficile lorsqu'elles orientent une partie de leur combat vers la dénonciation de l'intégrisme islamique.

Les trajectoires politiques, scolaires et familiales des militantes sont par ailleurs marquées par des tensions individuelles entre leur socialisation familiale et religieuse d'un côté et d'un autre côté par leur engagement politique. Cet engagement militant total leur permet soit pour les unes de faire l'économie de choix personnels compliqués et coûteux (le choix d'un conjoint — musulman ou non musulman — étant de loin le plus problématique), soit pour les autres de vivre de douloureuses ruptures avec leur famille. Mais leur prise de distance et leur rupture avec l'éducation religieuse se déroulent dans un contexte sociopolitique occidental hostile à l'islam. Les femmes musulmanes ressentent ainsi, de manière particulièrement vive, les tensions et contradictions entre la nécessité de combattre le racisme en insistant sur les aspects positifs de leur culture et la nécessité de dénoncer publiquement la répression, les abus et les injustices à l'égard des femmes opérés au nom de l'islam. Ainsi, les combats pour les droits des femmes se confrontent à des logiques religieuses et politiques. En outre, certains combats sont l'objet actuellement de controverses et d'enjeux sociopolitiques importants comme dans les débats concernant le « voile à l'école », la « burqa », ou encore les violences envers les femmes dans les cités[13].

Perçu comme un mouvement féministe par des femmes de quartiers populaires qui ne se reconnaissent pas forcément en lui[14], le mouvement veut souligner les spécificités des rapports hommes/femmes dans les cités sans dénoncer l'ordre masculin dominant (qui correspond pour ses porte-parole à une lutte des sexes qu'elles refusent). Une autre difficulté de positionnement politique apparaît alors pour cette organisation qui s'ancre historiquement dans les luttes antiracistes[15]. En effet, elle est critiquée de part et d'autre, car considérée comme stigmatisant les « garçons des cités[16] ». Le mouvement peine ainsi à construire son positionnement politique et idéologique. La reprise, en partie tout au moins, de l'entreprise de dévoilement des mécanismes de discrimination engagée il y a un quart de siècle par la Marche pour l'égalité de 1983 semble buter ici sur la dénonciation du sexisme. En effet, les militantes sont travaillées par des tensions qui sont en résonance avec les positionnements ambivalents envers le féminisme et la lutte contre les discriminations raciales de collectifs qui dénoncent des pratiques et des discours reliés à l'islam.

Parallèlement, sous la pression de l'Europe, se mettent en place des politiques publiques contre les discriminations. La France s'est ainsi conformée à la directive européenne du 20 juin 2000 relative à la mise en œuvre du principe de l'égalité de traitement entre les personnes, sans distinction de race ou d'origine ethnique. Créée par la loi du 30 décembre 2004, la Haute Autorité de lutte contre les discriminations et pour l'égalité (HALDE) permet la prise en compte de la situation des personnes immigrées, notamment en apportant un soutien à celles qui sont victimes de discriminations. Mais le travail à faire est immense et la question de la victimisation des femmes migrantes reste entière.

Michelle Zancarini-Fournel
Professeur d'histoire contemporaine, à Lyon I, co-directrice de la revue Clio *Histoire, femmes et sociétés*

1. *Janine Ponty,* Polonais méconnus. Histoire des travailleurs immigrés en France dans l'entre-deux-guerres, *Paris, Publications de la Sorbonne, 1988.*

2. *Voir la présentation de Philippe Rygiel et Natacha Lillo (dir.),* Rapports sociaux de sexe et immigration, *Éditions Publibook Université, 2006.*

3. Insee première, *n° 104, septembre 2005.*

4. *Nicole Fouché et Serge Weber (coord.), « Construction des sexualités et migration »,* Migrance, *n° 27, citation p. 30.*

5. *Nassira Guénif Souilamas,* Des beurettes aux descendantes d'immigrants nord-africains, *Grasset, 2000.*

6. *Fethi Benslama,* La Psychanalyse à l'épreuve de l'Islam, *Aubier-Montaigne, 2002.*

7. *Jules Falquet, Anette Goldberg-Salinas et Claude Zaidman (dir.), « Femmes en migrations »,* Cahiers du Cedref, *n° 8-9, 2000.*

8. *C'est la catégorie, ici féminisée, utilisée par Ahmed Boubeker dans* Les Mondes de l'ethnicité. La communauté d'expérience des héritiers de l'immigration maghrébine, *Balland, 2003, pour nommer les militants associatifs qui, en banlieue, interviennent, selon des modalités diverses, sur les questions et problèmes liés à l'immigration.*

9. *Bien que la France ne reconnaisse pas théoriquement la reproduction d'une génération à l'autre du caractère « immigration », cette désignation s'est imposée pour nommer une partie de la population considérée comme une « minorité ».*

10. Stéphanie Tawa Lama-Rewal *Femmes et politique en Inde et au Népal. Image et présence, Paris, Karthala, 2004, parle de mobilisations dans lesquelles le genre devient le fondement identitaire d'une revendication collective.*

11. *Fadela Amara,* Ni putes, Ni soumises, La Découverte, *2003. Marie-Carmen Garcia et Patricia Mercader, « Ni putes ni soumises. Un féminisme nouveau ? », colloque international « Genre et militantisme », Lausanne, 26-27 novembre 2004, http://www2.unil.ch/liege/actus/pointfort2.html*

12. *À la suite du meurtre de Sohane Benziane, brûlée vive par un garçon dans une cave à Vitry-sur-Seine, le 4 octobre 2002, Fadela Amara, présidente de la Maison des Potes, crée, en mars 2003, l'association Ni putes, Ni soumises. Des « États généraux des femmes des quartiers » et la « Marche des femmes des quartiers pour l'égalité et contre le ghetto » ont précédé la création de ce collectif « contre le sexisme dans les cités ».*

13. *Le livre de Laurent Mucchelli* Le Scandale des « tournantes », discours médiatiques et contre-enquête sociologique, *La Découverte, 2005, montre que, contrairement à ce qu'affirme le mouvement Ni putes, Ni soumises, les viols collectifs ne sont pas un phénomène récent.*

14. *L'enquête menée par Khadidja Attou en 2004 sur la réception du mouvement Ni putes, Ni soumises en Languedoc-Roussillon montre que de nombreuses femmes vivant dans les quartiers d'habitat social pensent qu'il s'agit d'un mouvement de féministes parisiennes ne partageant pas leur expérience.*

15. *Le mouvement Ni putes, Ni soumises trouve son origine dans la Fédération nationale de la Maison des Potes, créée en 1988 à l'initiative de militants de SOS Racisme qui voulaient, en fédérant des associations de quartier, casser l'image négative des banlieues.*

16. *Nacira Guénif-Souilamas et Éric Macé,* Les Féministes et le garçon arabe, *L'Aube, 2004.*

Je suis stupéfaite! C'est toi qui lis tous ces livres?

Euh... oui.

J'ignorais de toi ce penchant avéré...

Il y a que c'est un peu ma seconde famille, et... sans ces lectures, je ne serais pas ce que je suis...

Eh bien! Tu as dû baigner dedans depuis tes premiers pas!

À vrai dire... Pas exactement...

C'est même tout l'inverse! Je vivais dans les bois, quand j'étais petite!

Noon?!

Je te jure!

On n'avait pas l'eau courante, c'es

Attends! En France?!

Oui, oui. Dans le Sud-Ouest.

Je suis arrivée à l'âge de 5 mois. Tu devines donc que je n'ai aucun souvenir du Maroc.

On allait chercher l'eau au puits, les W-C étaient dehors, on se chauffait à la cheminée...

Ça s'est amélioré par la suite; cela étant, quand tu es petite, tu ne te rends pas compte...

Et on ne lisait pas, chez toi ?

Ah non !
Mon père était ouvrier agricole, ma mère aidait aux vignes, et quand on parlait, crois-moi, c'était sans fioritures !...
On échangeait des informations, point.

Nous vivions en vase clos, repliés sur nous-mêmes, c'était vraiment... étouffant. C'est l'école, quand j'ai commencé à y aller, qui m'a renvoyé cette image... Tout était si différent ! Ça m'a fait un bien fou !

Ha ! Ha ! C'est la première fois que j'entends dire ça de l'école publique !!

J'étais la seule petite Arabe : pour la première fois, je me retrouvais sans la famille et avec les français, c'était... formidable !...

Je découvrais une foule d'autres valeurs, de codes, de façons de parler... J'adorais mes institutrices, j'adorais apprendre...

C'est à l'école que j'ai commencé à rencontrer les livres...

Tu as de la chance... Pour moi, les livres, ça a toujours été lié aux lectures imposées par les profs...

Et tes filles, elles lisent comme toi ?

Oui ! Ah ça, elles lisent ! Et elles travaillent ! Je suis très insistante sur ce point. Pour moi, le travail, la réussite scolaire, ça a toujours été comme un passeport...

Un passeport ?

J'étais différente, ça m'aidait à me faire accepter.

Malgré la honte constante que j'avais de n'être pas vêtue à la mode, comme les autres...

Ma mère me faisait une natte parce que j'avais les cheveux longs et frisés...

À l'adolescence, c'était terrible. Je ne pensais plus qu'au regard des autres, et à comment leur ressembler le plus possible...

Au final, c'est le travail et mes bons résultats qui faisaient que je n'étais jamais exclue, ou marginalisée. Et pourtant, j'étais régulièrement renvoyée à ma différence...

Comme cette fois où ma maîtresse m'a raccompagnée parce que j'étais malade...

J'avais beau voir ma mère tous les jours ainsi, là, ça m'a fait drôle...

Une autre fois, le mari de ma grande sœur était venu m'attendre à la sortie de l'école...

C'est ton père ?

Purée, il a une vraie tête d'Arabe !

Ah la vache ! Bonjour le racisme !

Je ne sais pas... Objectivement, c'est vrai qu'il n'avait pas une tête comme tout le monde...

50

Assieds-toi ! Tiens, prends un verre ! Je te sers un pastis ?

Euh... Non merci, ou alors juste l'eau...

Tu habites au village, alors ?

Euh... Oui. À la Combe de Quinçay, un peu à l'écart...

Oui, c'est notre propriétaire, on le croise toutes les semaines...

Ah ? Je connais bien l'exploitant de ces bois, monsieur Augustin...

Ah, Augustin... Sacré lascar ! Un vrai personnage de Balzac perdu dans un roman de Zola !

Oui, le pauvre !... Et quand ce n'est pas *La Terre*, c'est *L'Assommoir*! Il a quelques difficultés...

Émilie me dit que tu aimes les livres ? Qu'est-ce que tu lis, en ce moment ?

C'était mon premier contact avec le monde des adultes sorti du contexte scolaire ou familial... Ils avaient la quarantaine et trois enfants...

Et... Un mode de vie nettement alternatif...

joint

alcool

Fabrication de sacs en cuir

Confection de sachets de lavande

fourgonnette pour aller faire les marchés

Pour la première fois, en parlant avec eux, j'avais l'impression d'exister en tant que personne, avec ce que j'étais, mon origine familiale... Je les intéressais, et la sophistication de leur pensée me poussait à enrichir la mienne, quitte à m'appuyer sur des citations de lectures, ce qu'ils étaient loin de trouver ridicule, mais qu'au contraire ils encourageaient.

J'avais tellement besoin de ça! Tu comprends, avec les copains et les copines, on ne parlait pas des sentiments qu'on pouvait ressentir face à telle ou telle œuvre... Alors à la maison, je ne t'en parle même pas!...

Oui, je devine.

Ça donnait de l'épaisseur à des choses que j'avais en moi et que je ne pouvais pas exprimer... Ça a été... fondateur.

Et puis c'était des gens de la nuit... Ils faisaient la fête tout le temps! Deux ou trois fois, j'ai réussi à y aller, en racontant d'énormes mensonges...

52

Mais... Et tes parents ?...

C'est là que ça a coincé.

Eh oui.

Je ne voulais pas les décevoir, mais...
Pour eux, il fallait se marier à un
musulman, avoir des enfants, et...
c'est tout. La vie, c'était ça, pour eux.
Juste ça.

Ah oui
d'accord.

Ajoutes-y la religion pour bien serrer les
mailles de la nasse, et tu te figureras l'asphyxie
qui m'attendait dans ce contexte...

Il n'y avait pas à tergiverser,
pas même à comprendre ou à
réfléchir... Le mur avait été
dressé, les embrasures murées
...

Pff...
Au
secours
!

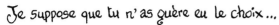

Je suppose que tu n'as guère eu le choix...

Accepter la règle ou dégager.

Évidemment, j'ai eu vite fait de choisir, mais... Crois-moi, c'est délicat, de rompre les amarres à 17 ans!...

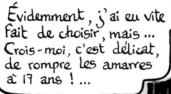

J'imagine sans peine!

Et... ça s'est arrangé?

Mes parents n'ont jamais cherché à me revoir...

Quoi?! J'hallucine! Comme si tu avais tué quelqu'un!!

J'ai passé cinq ans complètement coupée de la famille, mais il ne m'est arrivé que de belles choses. J'ai eu de la chance.

Toi et ta chance! C'était mérité, voilà tout!

Mais tu vois tous ces livres; c'est à eux que je dois l'essentiel de ce que je suis. Ça a été mon socle, mon garde-fou, mon apprentissage, une confirmation des valeurs auxquelles je pensais croire...

Dans tout cela, il y a quelque chose d'universel qui transcende les origines...

et je suis toujours éblouie par ça.

Anna

Je suis fille d'immigrés, l'Uruguay est fait de 88 % d'immigrés européens. J'ai un grand-père né en Allemagne et ma grand-mère était fille de Portugais et d'Indiens.

Du côté de ma mère, ce sont des immigrés italiens et ma grand-mère s'est mariée avec un anarchiste espagnol qui venait des îles Baléares.

C'est drôle, je suis immigrée en France au milieu de tous les pays de mes ancêtres.

Je suis née à Montevideo. Je suis restée en Uruguay jusqu'à l'âge de 25 ans, j'étais en danger politiquement et je suis partie au Chili quand il y avait Allende.

J'étais engagée dans le mouvement révolutionnaire d'extrême gauche Tupamaros...

... J'avais deux filles à l'époque.

J'y ai vécu un an jusqu'au coup d'État du 11 septembre 1973. La première ambassade à ouvrir ses portes a été la France et j'ai demandé l'asile.

On a été très bien reçus en France, il y avait eu Mai 68 et la France a fait beaucoup pour le Chili. Il y a eu beaucoup de mobilisation. Je suis allée habiter dans un HLM dans une ville près de Paris, j'ai déménagé plusieurs fois pour des raisons familiales et on est arrivés ensuite à Blois en 1977.

J'ai eu une période terrible, pas d'argent, pas de travail, les enfants... On ne trouve pas l'équilibre, on vit des allocations.

Vous êtes blessée moralement, économiquement, vous êtes loin de votre famille et on vous dit que vous mangez le pain des Français.

De l'extérieur, ce qui est dur est qu'on vous catalogue tout le temps, il faut passer par-dessus, comme immigrée, comme réfugiée.

Après j'ai pu faire une formation et je suis entrée dans l'administration.

Mon ex-mari était un artiste qui écrivait, qui faisait du théâtre. On a baigné là-dedans, pour le côté associatif aussi. On faisait du théâtre, on répétait à la maison sociale du quartier. On n'avait pas la télévision à la maison. On était dans une dynamique artistique.

Tiens, maman. On a fait une pièce de théâtre !

À la cave de l'immeuble, il y avait de la place, on avait collé plein de papiers, c'était propre, pas comme aujourd'hui. Les enfants y faisaient du théâtre, les parents faisaient des gâteaux et les enfants faisaient payer quelques centimes l'entrée pour le spectacle. Un peu comme moi je faisais en Uruguay quand j'étais petite.

C'était génial, on faisait des jeux, des cerfs-volants et des pièces de théâtre avec les familles. Mais un jour, un couple de Français vraiment purs et durs, du genre « nous, nous sommes français... »

Leurs enfants avaient été invités aussi et je ne sais pas ce qu'il y a eu mais le père est venu chercher ses enfants.

Je vous avais dit qu'avec ces étrangers il ne fallait pas faire la fête.

Du coup il a téléphoné au gardien et la fête était finie.

Quand j'ai des choses comme ça, je laisse les gens se reposer. Tout est en mouvement tout le temps et à partir du moment où je sais ça, j'ai une réflexion différente, je ne peux pas condamner les gens de façon définitive.

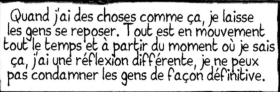

On habitait dans le même immeuble, on se croisait tous les jours. Il était juste en bas, je descendais et je le voyais tous les jours.

On se disait juste bonjour-bonsoir. J'avais toujours des contacts avec les autres voisins mais pas avec lui. On parlait juste un peu avec sa femme.

Et puis des années plus tard, un jour, il y avait une course organisée, les Virades de l'espoir, je crois, il fallait faire deux kilomètres.

Je me mets à courir dans un groupe et tout d'un coup je tombe sur ce monsieur.

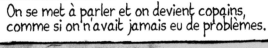

Ah mais vous êtes là ! Vous aimez la course ?

On se met à parler et on devient copains, comme si on n'avait jamais eu de problèmes.

On a parlé de la course, c'était un monsieur qui courait beaucoup dans le quartier du centre social, de leur projet d'acheter une maison.

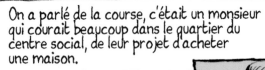

Il était jardinier à la ville et après il disait toujours bonjour. Je ne sais pas s'il avait changé ou compris mais c'était le fait d'avoir quelque chose en commun, la course, que je sois étrangère ou pas.

Finalement je le respectais, c'est ça le problème lorsqu'ils viennent vous chercher sur le fait que vous êtes un étranger qui vole leur pain- je l'ai beaucoup entendu, mes filles l'ont beaucoup entendu-, ce sont des gens qui ont des problèmes, qui vivent cette angoisse qu'on leur pique tout.

Ce sont des gens qui n'ont pas appris à communiquer.

Ce monsieur se sentait français, il ne comprenait pas que sa femme fasse le ménage et que moi je travaille dans l'administration. Je lui avais dit que j'avais la nationalité mais ça ne changeait rien.

J'ai un grand bonheur à raconter cette histoire, je suis touchée. La vie est incroyable. Comment on passe à côté de choses qui pourraient s'arranger.

J'ai eu d'autres choses comme ça avec des gens du Front national. J'ai toujours eu l'impression d'avoir à conquérir les gens.

...Je me suis toujours habituée à affronter cela, mais toujours dans la délicatesse, je crois.

Comme avec ce monsieur, je laissais faire à mes dépens parce que finalement j'étais gagnante, je payais cette façon de faire en me disant : un jour ils se rendront compte.

Dans le travail c'est pareil avec ma façon de parler français. On n'arrêtait pas de me dire que je parlais mal, de me rabaisser.

C'était dur à vivre, j'encaissais, j'ai rarement eu des disputes, mais ça m'a quand même assez abîmée, c'est vrai.

juin 2010   Gaultier

Les stéréotypes de l'immigration asiatique

Par Liêm-Khê Luguern

Tous les immigrés asiatiques le savent : aux yeux des Français ils sont tous *chinois*. Si les Chinois (de nationalité et/ou d'origine) forment aujourd'hui la majorité des immigrants asiatiques, ce fait est récent. Selon les sources et les critères, les Chinois seraient proches de 500 000 en France, soit entre le double et le triple des Vietnamiens, seconde communauté asiatique[1].

L'arrivée en nombre des Chinois date de la fin des années 1970 lorsqu'ils forment la grande majorité des *boat people* fuyant le régime mis en place au Vietnam en 1975. L'immigration en provenance de l'Indochine est plus ancienne, en raison du passé colonial. L'émigration des Vietnamiens (la grande majorité des émigrants indochinois) vers la France est, en effet, un processus permanent depuis le début du XXe siècle. C'est de celle-là dont nous allons essentiellement parler (question de méthode car les regards extérieurs ne font aucunement la différence entre un Cambodgien, un Chinois, un Vietnamien… de ce point de vue, et seulement pris sous cet angle, on peut parler de *communauté asiatique* dans le sens où tous les individus qui la composent bénéficient ou subissent les mêmes stéréotypes) car elle nous permet d'aborder la question des représentations ancrées, qui se construisent donc sur un temps long, mais aussi de leur mutation.

Jusqu'en 1914, cette immigration reste circonscrite à une centaine d'individus. Avec la Première Guerre mondiale, son effectif bondit à 90 000 hommes, travailleurs et tirailleurs recrutés pour les besoins de la métropole en guerre. Le même scénario se reproduit en 1939-1940 pour 20 000 travailleurs et 7 000 tirailleurs. En 1954, à la fin de la guerre d'Indochine, et jusqu'en 1965, les rapatriés d'Indochine sont estimés entre 30 000 et 35 000. Enfin, la dernière grande vague d'immigration correspond à l'épisode des *boat people*. L'association France terre d'asile estime que 42 694 Vietnamiens sont alors accueillis en France au titre de réfugiés (pour 75 000 Chinois, issus de l'ex-Indochine). Globalement, la présence des Vietnamiens en France est donc très minoritaire et n'apparaît dans les statistiques de l'INSEE qu'en 1975 (Cambodgiens, Laotiens et Vietnamiens représentent alors 0,5 % des étrangers, 2,8 % en 1982 et 3,1 % en 1990).

Sociologiquement, outre les travailleurs et tirailleurs qui se sont installés en France au lendemain des deux guerres mondiales (environ 1500), les éléments constitutifs de l'immigration vietnamienne sont des soldats coloniaux effectuant leur service en métropole, des lycéens et étudiants venus suivre leurs études, des navigateurs employés sur les lignes coloniales et des domestiques. Au total, jusqu'en 1954, la présence vietnamienne se stabilise autour de 5 000 individus, essentiellement jeunes et masculins, soit une présence marginale en comparaison d'autres immigrations en France. Elle est multipliée par sept dans les années 1950-1960, par l'arrivée des rapatriés d'Indochine qui s'ajoutent au flux numériquement marginal mais continu d'étudiants et de familles aisées fuyant la guerre du Vietnam. Enfin ses effectifs bondissent avec l'arrivée des *boat people* qui dans un premier temps sont formés par des ressortissants des couches sociales moyenne et supérieure.

Si la « communauté asiatique » en France jouissait, en apparence tout du moins, d'une relative indulgence auprès de l'opinion publique qui la considérait comme capable d'« intégration », cette attitude était, selon mes hypothèses, construite à partir d'une réalité sociale : l'immigration indochinoise puis vietnamienne dans les années 1950 et 1960 a été le fait d'une élite sociale (émigration des étudiants, fils de la bourgeoisie locale). Nous tenons donc pour acquise la spécificité des stéréotypes forgés sur les immigrants asiatiques en tentant de l'expliquer par leur appartenance sociale. Or très vite, il nous est apparu que nous étions nous-mêmes prisonniers d'une représentation : les étudiants, techniciens, ingénieurs, médecins ne forment que la partie émergée et visible de cette immigration. La société indochinoise n'est pas un bloc. Ses disparités, antagonismes sociaux et régionaux (et politiques eu égard à l'histoire du Vietnam) trouvent leur prolongement dans l'immigration en France. C'est ce qu'ont montré les travaux qui existaient dans les années 1980 sur les immigrations vietnamiennes[2]. Plus que l'invisibilité des Asiatiques dans leur ensemble, c'est surtout l'invisibilité des employés, des ouvriers dans cette immigration qui est porteuse de questions. Cette *invisibilité* est au cœur des représentations collectives sur les Asiatiques jusqu'à la fin du siècle dernier, lesquelles représentations ont été forgées par des immigrants eux-mêmes *en représentation* : ce que l'on voit n'est-il pas ce qui est donné à voir?

Des stéréotypes en cours de mutation

Le *Paris Asie*[3] rappelle l'attrait et la fascination pour l'Asie depuis… Marco Polo. Les qualificatifs désignant la population de l'Extrême-Orient sont quasi invariables à travers les siècles : *mystérieuse, secrète, silencieuse* hier, elle devient aujourd'hui *polie, discrète et souriante*; *fumeuse d'opium, trafiquante* hier, associée aujourd'hui à *clandestin, jeu, racket, drogues*; hier *disciplinée, laborieuse,* aujourd'hui *travailleuse, réussite scolaire et sociale…* Les stéréotypes peuvent se décliner selon des axiologies positives ou négatives et un même stéréotype peut être polarisé soit positivement soit négativement. C'est le cas de la représentation de l'immigration *laborieuse* et *disciplinée*. Associée aux étudiants, elle se décline par la *réussite scolaire*, appliquée aux paysans et travailleurs chinois derniers venus, elle renvoie aux ateliers *clandestins* ou *appartements raviolis* pour reprendre une image choc répandue par les médias où la main-d'œuvre travaille sans relâche et sans renâcler dans des conditions inhumaines pour alimenter les restaurateurs et autres commerces de bouche[4].

Ce qui néanmoins semble dominer, c'est une communauté qui bénéficie d'une « bonne image » comme le montre la récurrence des qualificatifs qui lui sont le plus souvent associés : *invisibles, travailleurs, discrets, polis, bons élèves, sans problème, intégrés*. Cependant, cette représentation connaît un tournant dans les années 1980 où on remarque « un revirement progressif de l'opinion et la montée des sentiments d'inquiétude et d'irritation ainsi que le retour des stéréotypes sur les *jaunes*, qui se superposent à l'image du *bon réfugié*[5] ». Cela est-il dû à la visibilité accrue d'une communauté qui non seulement croît numériquement mais a également tendance à marquer son territoire (voir le Triangle de Choisy)?

L'ambivalence des stéréotypes et la formation des stigmates

En raison de sa sociologie, la communauté des Vietnamiens en France est marquée par un important *turn over* : jusqu'en 1954, cette émigration n'était pas appelée à faire souche en France. Cette présence furtive et *invisible* relève de la nature même de cette immigration : tirailleurs et travailleurs encasernés, rapatriés et réfugiés regroupés dans des camps. Ceux qui font souche sont ensuite éclatés géographiquement. Jusqu'en 1954, quelques noyaux de Vietnamiens se retrouvent dans les grandes villes portuaires (travailleurs et navigateurs) ou universitaires; lycéens, domestiques, travailleurs sont dispersés sur tout le territoire. Cette dispersion explique l'*invisibilité* et protège les Vietnamiens des réactions de rejet. Le retournement de l'opinion qui se manifeste à partir des années 1980 s'explique en partie par la visibilité croissante, notamment dans la capitale avec les quartiers dits asiatiques : Belleville, le IIIe mais surtout le XIIIe arrondissement. Mais le processus n'est pas nouveau, on le constatait déjà dans l'immédiat après-guerre où des préfets étaient intervenus en faveur de la dispersion des camps de travailleurs vietnamiens encadrés, la *concentration* de Vietnamiens étant considérée comme facteur de troubles. Pas davantage que l'*invisibilité*, la *discrétion* n'est pas une *nature* de l'immigrant vietnamien mais une attitude propre aux immigrants en général. Compte tenu de la faiblesse de l'immigration vietnamienne en France, le fantasme de l'invasion et du *péril jaune* n'a jamais jusqu'alors fonctionné. En revanche, sur d'autres thèmes, on retrouve les mêmes procédés de mobilisation collective décrits par Gérard Noiriel[6] : martèlement de thèmes (« Les Indochinois sont fourbes et orgueilleux ») et mise en avant de petits faits de la vie quotidienne qui accentuent et amplifient les dégoûts (« Les Indochinois mangent des chiens », « Ils ont des dents noires[7] »). Les stéréotypes sont donc ambivalents et de ce fait brouillent les représentations. La raison tient dans la pluralité des strates sociales qui composent cette immigration qui, au contraire d'autres, n'a pas sur un temps court fourni une immigration socialement homogène (mineurs polonais, OS algériens par exemple). De là l'absence de réel stigmate, car la fabrication du stigmate suppose, rappelons-le avec Gérard Noiriel, la conjugaison d'au moins deux composantes : origine et position sociale[8]. C'est ce qui explique le tournant des années 1980 et vraisemblablement la fabrication en cours de stigmates : la dernière génération d'immigrants asiatiques est socialement plus homogène et numériquement plus importante. Elle est notamment issue des zones rurales ou des friches industrielles de la Chine et est caractérisée par un faible niveau scolaire et un faible niveau de qualification. Elle fournit un réservoir de travailleurs manuels contraints à accepter des conditions de travail très pénibles et parfois dans la clandestinité. C'est parmi cette population que l'on trouve les sans-papiers. La figure du « sans-papiers » est donc en voie de changer de « couleur » et nous nous trouvons en présence de deux ingrédients qui, conjugués, forment le stigmate : chinois et pauvre ou, autre variante, chinois et clandestin.

La formation des stéréotypes : le rôle de l'armée, du clergé, de l'école...

Nous touchons ici une autre explication de la *bonne image* dont jouit (jouissait?) l'immigrant asiatique. C'est son statut administratif. Au contraire des grandes vagues d'immigration économique qui ont fait la France, l'immigration asiatique, jusqu'à tout récemment, n'est pas seulement le produit de la relation inégale entre pays riches et pays pauvres. Issue de la colonisation, elle a été alimentée par des événements dans les relations internationales que sont la décolonisation (guerre d'Indochine) et la guerre froide (guerre du Vietnam). L'immigrant vietnamien est donc un immigré politique. Pour l'opinion, il s'agit d'ailleurs plus d'un *réfugié* que d'un *immigré*, distinction revendiquée par les réfugiés eux-mêmes très soucieux de maintenir leur distance avec les autres migrants (économiques) mais aussi avec les derniers venus considérés comme des *faux réfugiés*, accusés de ternir leur bonne *image*. La position de l'*immigrant politique* procure une « légitimité de la présence » car il n'est pas accusé de venir « manger le pain des Français » (cela doublé d'une culpabilité liée à l'histoire coloniale et à une guerre qui dans son contexte et son déroulement ne peut être mise sur le même plan que la guerre d'Algérie). Tant qu'il était soldat, travailleur requis, rapatrié, étudiant ou réfugié, le statut du Vietnamien ne renvoyait pas à un enjeu économique mais à une situation juridique marquée par la subordination de l'immigrant, renvoyant à la toute-puissance française, à sa tradition de terre d'asile. En revanche, tout bascule lorsque l'immigrant devient un travailleur pauvre et de surcroît clandestin. Pour reprendre Danièle Lochak, « le droit contraint la réalité à se plier à ses catégories et impose imperceptiblement sa problématique aux représentations collectives[9] ». L'État est donc, à travers ses catégorisations administratives, acteur de la construction de la *bonne* ou de la *mauvaise* image. D'autres appareils de l'État participent à la formation des stéréotypes de l'immigrant asiatique : l'armée et l'école. Les militaires, ceux qui ont participé à la conquête et à la domination coloniales, mais également ceux qui organisent la réquisition des indigènes des colonies lors des guerres mondiales (souvent les mêmes, surtout aux échelons inférieurs), mettent en place l'archétype de l'Indochinois[10].

Ainsi, au déclenchement de la Seconde Guerre mondiale, si préférence a été donnée au recrutement de travailleurs en Indochine, c'est notamment en raison de la typologie raciale forgée à partir de l'expérience de la Grande Guerre. Pour le maréchal Joffre, par exemple, « les tirailleurs indochinois ne possèdent pas les qualités physiques pour servir au front[11] ». En revanche, la France pouvait faire appel aux travailleurs : ceux qui avaient été

« recrutés pendant la guerre de 1914-1918, ayant donné satisfaction en raison de leur intelligence, de leur habileté et de leur discipline, il fut décidé de prévoir un recrutement analogue pour le cas où un nouveau conflit surgirait[12] ». Or, à cette époque, toute l'Asie orientale était en voie d'industrialisation, et bien davantage que l'Afrique du Nord et l'Afrique noire[13]. Ainsi, l'expérience du travail industriel (même sur les plantations) y existait réellement. Pour l'Indochine, le recrutement de travailleurs a donc pris le pas sur celui de tirailleurs en raison du rapport au travail (adaptabilité plus ou moins rapide, rendement, discipline). Ce qui est désigné comme *qualités naturelles* ne renvoie pas à un quelconque *imaginaire colonial* mais à une réalité socio-économique car l'Indochine était la plus industrialisée des colonies françaises. Par ailleurs, Laurent Dornel a montré que la Première Guerre mondiale a vu naître le processus d'assignation identitaire avec la convergence du discours colonial racial et du discours économique au moment où se met en place le taylorisme dans les usines[14]. Dans ce processus, les travailleurs indochinois sont considérés comme « *bons pour les travaux d'adresse – main-d'œuvre quasi féminine[15]* ».

Il y aurait aussi à dire sur le rôle de l'école et des enseignants dans la formation des stéréotypes. Dans les manuels scolaires du secondaire notamment, l'approche de l'Asie fait la part belle au « modèle » de la réussite du Japon (et plus récemment de la Chine) avec toujours la présentation d'une population disciplinée, respectueuse de la hiérarchie. Transposées aux élèves asiatiques en France, ces valeurs induisent des attendus parmi les enseignants qui en général nourrissent des préjugés favorables concernant leur réussite scolaire. Les raisons de cette réussite sont toujours expliquées par l'origine confucéenne de cette immigration où les valeurs de la famille et du travail, et par extension la réussite scolaire et professionnelle, occupent une place centrale. S'il ne s'agit pas de nier ce fait de civilisation, il faut constater que cette représentation n'est pas réductible non plus à un *imaginaire colonial* mais qu'elle s'est construite à partir de la réussite scolaire d'étudiants fréquentant les universités françaises qui, jusqu'aux années 1980 du moins, sont issus des classes supérieures de la société vietnamienne. Mais d'année en année depuis les années 1980, « le statut social, le niveau scolaire et la connaissance du français des réfugiés qui arrivent en France diminuent[16] ». De même, le mythe de la bonne intégration professionnelle ne résiste pas à l'examen des données : le taux de chômage des Vietnamiens au recensement de 1990 est de près de 31 %, soit le plus élevé pour l'ensemble des étrangers naturalisés[17]. Les Vietnamiens subissent comme les autres immigrants les effets de la crise qui s'enracinent alors. C'est aussi ce qui explique le tournant dans les stéréotypes vis-à-vis de l'Asiatique au début des années 1980.

Aujourd'hui, supplantés par l'industrie de la communication

Les journalistes ont pris le relais dans la formation des stéréotypes. Pour les Vietnamiens, cela a commencé « positivement » dans les années 1970, avec l'action très médiatisée de Bernard Kouchner recueillant les réfugiés en mer de Chine. Pour le sociologue Pierre-Jean Simon, l'image positive dont bénéficient généralement les populations du Sud-Est asiatique en France est alimentée par l'histoire post-coloniale récente (guerres anti-américaines, engouement pour le bouddhisme, exode des réfugiés après 1975) bien plus que par l'histoire coloniale de l'Indochine française[18]. Mais à partir des années 1980, la valeur négative a été peu à peu développée par la presse[19]. En 1982 surgit brutalement le thème de la *clandestinité* et de l'*illégalité* : les termes *clandestin*, *drogue*, *trafic*, *héroïne* devançant désormais *solidarité*, *sourire*, *réussite*. On peut situer le point de départ de la réactivation des vieux fantasmes en 1980 avec les rumeurs largement médiatisées à la suite du faible nombre de décès d'immigrants asiatiques enregistrés dans le XIIIe arrondissement de Paris. Vient ensuite, dans les années 1990 et 2000, le martèlement du thème du travail clandestin asiatique avec l'invention du concept des *appartements raviolis* maintes fois objets de reportages télévisés où l'on transpose dans les appartements parisiens l'image des populations grouillantes et laborieuses des rizières. Les nouvelles représentations s'appuient sur un sédiment ancien, les stéréotypes peuvent donc se déplacer sur le curseur du négatif au positif suivant le contexte socio-économique mais trouvent toujours à leur fondement la frontière que l'on établit comme infranchissable entre soi et les autres.

La nostalgie du « bon immigré »

Signe des temps, certains cadres de la communauté asiatique s'inquiètent de ce retournement d'opinion, comme Félix Wu, candidat dans le XIIIe arrondissement aux municipales de 2007, pour lequel il est urgent de valoriser sa communauté car « elle est mal connue pour lutter contre tous les fantasmes et préjugés que l'on nourrit à son égard[20] ».

Cette approche communautariste surfe sur la vague de la discrimination positive et revendique une visibilité politique pour les Asiatiques à l'instar des Arabes ou des Noirs. Des immigrants veulent ainsi se donner à voir en cultivant leurs particularismes et force est de constater qu'ils sont aussi les agents de la formation de leurs propres stéréotypes par un procédé d'usurpation qui fait passer leur identité singulière pour une identité collective et communautaire. Ce processus n'est pas nouveau. Nos recherches montrent qu'alors que les étudiants ne représentaient qu'une partie des Vietnamiens en France, et que les travailleurs et tirailleurs — majoritaires — étaient pour la plupart des paysans analphabètes, il a existé le mythe vivace du Vietnamien *intellectuel*, *intelligent* et *studieux*. Terminons en soulignant les rapports de domination qui existent au sein même de la communauté des immigrants parce qu'il n'y a pas d'unicité dans la condition coloniale et parce que les situations coloniales ont généré de nombreux intermédiaires, étudiants, interprètes, auxiliaires de l'administration, comme l'ont montré de nombreux historiens[21]. Ainsi, alors qu'ils étaient largement majoritaires, les travailleurs et tirailleurs ont laissé les étudiants être leurs porte-parole à la tête de la Délégation des Indochinois, fondée en 1944 pour représenter les 25 000 Indochinois résidant en France. C'est-à-dire les fils de la bourgeoisie indigène, de l'élite sociale et économique, première à bénéficier de l'essor de l'instruction publique en Indochine et intermédiaire entre la société coloniale et la masse rurale indigène. Guillon et Taboada Leonetti montrent également le rôle des élites dans la structuration et la représentation des Chinois du XIIIe. C'est par leur truchement que la communauté se rend visible, ce qui ne permet pas de rendre compte de la complexité et des contradictions internes. Cela n'est pas spécifique aux immigrants asiatiques mais l'analyse de la construction de la *bonne image* permet de mettre en évidence le mouvement convergent auquel participent les immigrants eux-mêmes, soucieux de leur image, gage de leur accueil, et les acteurs de la formation de l'opinion dans la société d'*accueil*. Pour les uns, la représentation par les élites assure des représentations positives, leur démarquage avec les autres immigrés avec lesquels ils refusent d'être comparés et la revendication de leur statut de « bons immigrés[22] ». Pour les autres, élites aussi de la société d'accueil (politiques, journalistes concourant à la formation de l'opinion publique), l'existence même de « bons immigrés » a une fonction normative permettant de définir par opposition ce qu'est un « mauvais immigré ». En leur temps, les Polonais et les Italiens avaient déjà tenu ce rôle.

Liêm-Khê Luguern
*Professeur d'histoire-géographie,
doctorante IRIS – EHESS*

1. *Ces estimations prennent en compte ceux qui ont gardé la nationalité du pays d'origine, les naturalisés qui, surtout dans le cas des Chinois, ont gardé un lien fort avec celui-ci et également les enfants nés en France. Ces estimations, très difficiles à établir, varient considérablement selon les sources et les critères retenus. Elles sont objet de débat.*

2. *Voir par exemple Lê-Huu-Khoa*, Les Vietnamiens en France, Insertion et identité, *L'Harmattan/CIEM, 1985. Mireille Favre Lê-Van-Ho*, Un milieu porteur de modernisation. Travailleurs et Tirailleurs vietnamiens en France pendant la Première Guerre mondiale, *thèse de l'École nationale des chartes, 1986. Pierre-Jean Simon*, Rapatriés d'Indochine, un village franco-indochinois en Bourbonnais, *L'Harmattan, 1981. Pour les réfugiés des années 1970, les publications sont nombreuses, voir notamment l'enquête très aboutie de Michelle Guillon et d'Isabelle Taboada Leonetti*, Le Triangle de Choisy, un quartier chinois à Paris, *L'Harmattan/CIEM, 2009.*

3. *Pascal Blanchard et Éric Deroo*, Le Paris Asie : 150 ans de présence de la Chine, de l'Indochine, du Japon... dans la capitale, *La Découverte, 2004.*

4. *L'expression « appartements raviolis » a été introduite à grande échelle par le reportage de J.-C. Doria « Faut-il avoir peur des restaurants asiatiques?»,* diffusé dans l'émission Envoyé Spécial, *France 2, 2004. Un second volet a été diffusé en 2009 dans la même émission. Le thème a été relayé dans les journaux télévisés.*

5. *Michelle Guillon et Isabelle Taboada Leonetti , op.cit., p. 171.*

6. *Gérard Noiriel*, Le Creuset français : Histoire de l'immigration XIXe-XXe siècle, *Seuil, coll. « Points Histoire », 2006 (édition revue et augmentée).*

7. *Extraits de presse dans l'entre-deux-guerres cités dans* Les Travailleurs indochinois pendant la Seconde Guerre mondiale, *mémoire de maîtrise, Liêm-Khê Luguern, Paris X-Nanterre. Lien : http://www.reseau-terra.eu/IMG/rtf/LUGUERN_Liem-Khe.rtf*

8. *Gérard Noiriel*, Immigration, antisémitisme et racisme en France (XIXe-XXe siècle) – Discours publics, humiliations privées, *Hachette, coll. « Pluriel » , 2009, p. 685.*

9. *Danièle Lochak*, Étrangers, de quel droit, *PUF, 1985, p. 41.*

10. *Ils rapportent avec eux des mots entrés dans le vocabulaire commun comme nha-quê (prononcé « niakoué » : terme vietnamien qui désigne un paysan) ou con gaï (une fille en vietnamien).*

11. *Cité par Maurice Rives et Éric Deroo*, Les Linh Tap, *Lavauzelle, 1999, p. 55.*

12. *Lieutenant Callery*, Les Vietnamiens en France, *Mémoire – Infanterie Coloniale, 1953, p. 5.*

13. *Daniel Hémery et Pierre Brocheux*, Indochine : La colonisation ambiguë — 1858-1954, *La Découverte, 2004 (édition mise à jour).*

14. *Laurent Dornel, « Les usages du racialisme : le cas de la main-d'œuvre coloniale en France pendant la Première Guerre mondiale »,* Genèses, *septembre 1995, p. 48-72.*

15. *Cité par L. Dornel, ibid., p. 71, thèse de doctorat ès sciences politiques de J. Lugan,* L'Immigration des ouvriers étrangers et les enseignements de la guerre, *1919.*

16. *Michelle Guillon et Isabelle Taboada Leonetti , op. cit., p. 134.*

17. *Chiffre avancé par Ida Simon-Barouh, « Les Vietnamiens, des "rapatriés" aux boat people », in* Immigration et intégration, l'état des savoirs, *Philippe Dewitte (dir.), La Découverte, 1999, p. 137. Pierre-Jean Simon, « L'Indochine française : bref aperçu de son histoire et des représentations coloniales »,* Hommes et Migrations, *2001, p. 14-22.*

18. *Pierre-Jean Simon, « L'Indochine française : bref aperçu de son histoire et des représentations coloniales »,* Hommes et Migrations, *2001, p. 14-22.*

19. *Michelle Guillon et Isabelle Taboada Leonetti , op. cit.*

20. *Félix Wu, « La communauté asiatique en France, une image à redéfinir »,* Revue internationale et stratégique – IRIS - 2009/1, n° 73, p. 113-116.

21. *Emmanuelle Saada, « Un racisme de l'expansion. Les discriminations raciales au regard des situations coloniales », in* De la question sociale à la question raciale ?, *Didier Fassin et Éric Fassin (dir.), La Découverte, 2009, p. 63-79.*

22. *Voir à ce propos Pierre Bourdieu, « L'opinion publique n'existe pas », in* Questions de sociologie, *Minuit, 1980.*

J'ai traversé beaucoup de pays avant de venir en France.

Je me suis mariée à 20 ans. En six ans, j'ai eu cinq enfants.

Au départ je vendais des brioches et peu à peu de l'alimentaire, des vêtements, de l'essence. Je vivais dans une petite ville dans la plaine.

Après j'avais deux boutiques avec des habitations au-dessus. Je me levais vers 6 heures, je lavais le linge, je disposais la marchandise et après c'était la boutique, les enfants, je n'arrêtais pas avant minuit.

On vivait très correctement.

Le Laos c'était l'Indochine avant, les Français étaient là. Ils ont perdu et les Américains ont pris leur place.

C'est l'époque où il a commencé à y avoir des bombardements, en 1965 ou 1966.

On creusait des trous assez profonds pour se protéger des balles et on se cachait dedans.

Tous les soirs quand on dormait il fallait mettre du feu autour. Dès qu'il y avait des bombardements, on creusait le trou et les enfants se couchaient contre moi. J'étais comme la louve.

Mon entourage disait que les Américains étaient mauvais, qu'ils bombardaient et qu'on allait tous mourir. Alors j'ai suivi tout le monde, tous les voisins sont partis. On est restés trois ans dans la montagne.

On cherchait à être rapatriés vers des pays voisins comme la Thaïlande où il y avait les Français.

On a réussi à traverser le fleuve avec des passeurs, des militaires Viêt-congs, pour la Thaïlande.

Il y avait des avions militaires français, on partait soit en France soit à Taïwan.

J'ai choisi Taïwan. J'y suis restée vingt-huit ans. Vers 18 ans, ma fille est partie en France.

Elle s'est mariée et a eu deux garçons.

Sa famille m'a finalement convaincue de venir en France. Je suis ici depuis une dizaine d'années.

Je trouve que c'est bien d'avoir ma grand-mère. Elle a été très courageuse, c'est grâce à elle qu'on est encore là. Si elle avait à un moment abandonné, ma mère ne serait peut-être jamais venue ici en France.

Ma mère, elle est arrivée avec rien. Elle a travaillé dans le textile, dans la restauration, tout ce qui venait.

Elle est arrivée à Paris, comme beaucoup d'immigrés. Le problème était déjà de récupérer des papiers, être si possible en règle.

Elle s'est mariée et a eu deux garçons.

Moi je suis né en 1979, à Paris.

J'ai vécu dans plusieurs endroits, tous les quartiers où il y avait des Asiatiques.

On travaille tous dans le même resto japonais, les Français n'y voient que du feu. Il y a une entraide entre nous, c'est pour ça qu'on se retrouvait entassés dans des appartements à disons 10, 15 ou 20 personnes.

Aujourd'hui on a de la chance,

on a chacun notre chambre.

Moi je me sens un mixe des deux cultures. Malgré que je sois de nationalité française, c'est-à-dire 100 % français normalement, mais ça c'est la théorie, en pratique c'est mixé.

En fait on ne s'intègre pas, on ne va pas se mélanger, on reste en retrait avec les autres Asiatiques, il y a une certaine autonomie.
C'est vraiment le terme diaspora qui correspond à la communauté.

L'Asiatique va prendre ce dont il a besoin, le reste… La priorité sera de garder sa culture, de bien séparer même.

Je ne suis jamais allé au Laos mais je me sens laotien malgré tout.

Si ma grand-mère est partie de là-bas… un jour il faudra y retourner

voir comment ça se passe.

FIN

MFIOR10

Les champignons, ça a commencé quand il travaillait dans les champs, en Sologne, au milieu des bois.

Entre midi et deux, il ne rentrait pas chez lui, il emmenait son casse-croûte et, là, il a commencé à visiter les bois. C'est devenu une passion et une deuxième rente.

Je ne connais personne qui fait mieux que lui, je l'ai vu ramasser deux cents kilos de cèpes dans la journée, les premiers c'est toujours lui qui les a, il est doué pour ça.

Toi tu passes dans un bois, tu les vois pas et lui il en voit partout.

Mon père était cheminot au Portugal. C'est simple, il est venu ici parce qu'il avait pas de quoi nous nourrir là-bas. Tu voyais des gens qui venaient ici pendant trois ou quatre ans et qui rentraient avec une voiture, un costume et qui envoyaient de l'argent.

Il avait 30 ans quand il est venu du village dans la montagne. Mon oncle était passeur. Il est venu à pied presque, il a fait plus de mille kilomètres à pied pendant trois semaines, il a traversé l'Espagne, les montagnes et vers Bordeaux il a trouvé un train. Il est venu en 65.

Tu travaillais une journée ici et tu mangeais là-bas pendant un mois.

On peut imaginer pourquoi des Africains montent sur des barques pour traverser.

C'était Paris en révolution, qui se reconstruisait, il y avait du boulot, on te donnait quinze fois ce que tu gagnais au Portugal, c'était énorme.

Quand il est arrivé ici, il est monté directement à Paris, il y avait des baraques en carton à Saint-Denis, ils les appelaient comme ça les bidonvilles. Tout le monde montait à Paris où il y avait la communauté portugaise.

Ils sont arrivés dans les bidonvilles avec des promesses de travail, d'embauche, ils finissaient par y arriver mais il n'y avait aucune protection, le patron en voulait pendant quinze jours, il les prenait, après il en voulait plus, vas-y, dégage...

Il y en a après guerre qui ont fait des grosses fortunes, les gros agriculteurs, les gros ferrailleurs d'ici, les Portugais ont fait leurs esclaves pendant vingt ans. Si un mec normal gagnait 1200 francs, on leur donnait 600 et s'ils pouvaient en envoyer 400 au village, ils travaillaient du lever au coucher du soleil.

Il a fait toutes sortes de métiers, tout ce qu'on lui donnait. Il arrivait avec un esprit tellement... Il regardait jamais la pénibilité du travail, il s'adaptait, c'était de la chair à canon. Pendant cinq ans, ici, il a chargé des sacs de cent kilos de farine toute la journée, il a travaillé en usine.

Après il a travaillé dans les champs, à la tâche, c'est ce qui l'intéressait parce qu'il pouvait gagner plus.

Nos parents c'était « accrochez-vous pour qu'on survive, faut à tout prix qu'on y arrive », « faut travailler, travailler, faut que le patron soit content ». Il voulait réussir à s'en tirer par le travail.

Toute leur vie a été basée là-dessus, sur l'argent. Ils sont venus pour ça, tout le reste... C'était la colonne vertébrale. Ils ont greffé tout ce qu'ils ont pu là-dessus. Le principe c'était boire, manger et s'ils pouvaient envoyer un billet au Portugal, c'était l'abc de leur vie.

Même actuellement, ils ont de l'argent mais c'est toujours des misérables, vis-à-vis de ce qu'ils ont vécu. Ça a été tellement difficile de venir. Ils sont là depuis quarante ans mais ils sont toujours persuadés qu'on va les renvoyer chez eux. Ce sera des gens traumatisés toute leur vie, tu peux pas vivre cette misère et...

Ces gens-là, que tu le veuilles ou non, leur culture, leurs habitudes, ce qu'ils ont vécu, ça ressort toute la vie.

Mon père ne dira jamais « je t'aime », il ne fera jamais un bisou, il ne m'a jamais demandé si j'avais besoin de quelque chose, si j'avais un problème.

Ils ne savent pas parler, c'est pas qu'ils veulent pas mais ils ne savent pas exprimer leurs sentiments. Ils n'ont pas été élevés comme ça. Pour eux, élever des enfants, c'était survivre.

Ma grand-mère avait promis que si cela se passait bien ici, si mon père et ma mère avaient de quoi nous nourrir, elle irait à genoux jusqu'à je ne sais plus quelle église.

Elle a fait quinze ou vingt kilomètres comme ça.

Il est arrivé du Portugal à un moment, sous Salazar, où c'était vraiment monstrueux ce qui se passait. Mon père a pris deux ans de prison pour avoir mis une baffe à un mec.

Salazar envoyait plein de soldats dans les pays africains pour éviter les indépendances, beaucoup mouraient et ceux qui restaient avaient peur de tout. Ils ont été élevés dans la crainte de l'administration, de Salazar. Ils ont été élevés dans un monde de fascistes où on t'envoyait faire la guerre à 18 ans. Ils n'avaient pas le droit de penser, ils ne pensaient pas quand ils étaient jeunes.

Pas en étant payé mais en prenant les restes comme les olives qui étaient encore accrochées dans les arbres après la récolte et avec lesquelles on faisait l'huile.

Au village, personne ne gagnait plus que les autres. Si, tu avais le docteur, une sommité, tu avais le prof qui était quelqu'un d'important, le bistrot, tout le reste des gens... Et dans un village de 4000 habitants, tu avais deux familles qui commandaient tout le monde et tout le monde travaillait pour elles.

Le village était à dix-huit kilomètres de la première ville, un car passait une fois par semaine mais comme on pouvait pas le prendre, on y allait à pied. Ça a été ça mes premières expériences de la ville, à pied à travers les champs.

C'était un drôle de monde.

Je ne sais pas si maintenant on nous a ouvert les yeux mais avant on croyait aux sorcières et aux guérisseurs. Les fêtes religieuses étaient sacrées, tu devenais un paria si tu n'allais pas à l'église.

Quand il est venu en France, nous on était restés chez notre grand-mère. Il est venu chercher ma mère deux ans après et nous encore deux ans plus tard.

La maison en Sologne, c'était vraiment une cabane de jardin, il n'y avait pas d'eau, pas de chiottes, rien. Pour eux avoir un endroit où dormir c'était déjà le bout du monde. Il faisait les poubelles, comme beaucoup de Portugais, il partait en disant « on va voir si on trouve quelque chose aux poubelles ».

Pour moi, c'était un truc de fou de venir ici à 9 ans. J'étais au paradis. Même la maison, tout était plus beau qu'au Portugal. T'entendais des histoires sur la France qui étaient merveilleuses. C'était un autre univers, on avait de quoi manger et des chaussures. On avait les vêtements du Secours catholique.

Je me souviens de sensations ici, de me dire « ça existe ça ! ». Ton imaginaire ne pouvait pas te porter aussi loin que ce que tu voyais ici, même si c'était des trucs de cons, des télés débiles, cette boîte avec ses images. On a eu notre première télé quand j'avais 12 ans.

Moi je suis d'une génération où c'est la France qui nous a tout donné, on a appris tellement de choses et vite. Sinon on serait restés comme au Portugal.

Nos parents nous ont pas transmis grand-chose, leur vie a été une succession de survies, ils pouvaient pas nous transmettre. Pour eux au Portugal tout était mauvais, ils ne racontaient pas. C'était pas comme dans un film où le vieux te transmet une éducation, une culture, un savoir-faire...

Et ils ne pourront jamais raconter les saloperies qu'ils ont dû vivre, personne ne fera parler mon père, même nous qui essayons parfois. Ces gens-là ont plein de choses qu'ils ne raconteront jamais à personne.

Ce n'est pas par honte s'ils ne parlent pas de toutes ces aventures. C'est plutôt un savoir-vivre de ne pas parler des problèmes que tu as eus, ils disent qu'il n'y a rien à raconter, ils faisaient du mieux qu'ils pouvaient.

Moi je suis devenu pendant un temps un voleur de grand chemin parce que mon père avait horreur qu'on touche à quoi que ce soit qui n'était pas à nous. Je suis devenu voyou parce que je ne voulais pas être un larbin comme ces gens-là, comme mon père, ma mère.

C'était que des larbins.

Avec leur sensibilité, leur manière de voir les choses, leur éducation, ce qu'il fallait respecter. On ne peut pas les juger. Une des plus belles choses qu'ils pouvaient faire c'était nourrir leur famille. Mais j'ai vu des gens d'ici profiter d'eux, devenir milliardaires avec ces Portugais.

Aujourd'hui, mon père me critiquera, il ne dira jamais rien devant moi mais il est au paradis de me voir là. Moi-même je n'aurais jamais imaginé que j'aurais des voitures et un château.

Moi je ne me suis jamais senti chez moi nulle part. Je ne peux pas dire que je suis français, je ne peux pas dire que je suis portugais. Je n'ai jamais demandé la nationalité, sur les papiers il y a toujours marqué Portugais.

C'était une question de service militaire, là-bas je donnais 100 francs et je n'avais pas besoin de faire le service.

Après j'ai fait un peu comme mon père, je me suis adapté à la vie d'immigré. Après j'ai eu un enfant français et je me suis dit que ça ne changeait rien. Et après avec le traité de Rome, on a été intégrés, on est devenus des êtres à part entière.

Jusqu'à l'âge de 20 ans, les parents nous inculquaient toujours qu'on n'était pas chez nous ici, qu'on allait nous renvoyer au pays.

Mais c'est ici que je me sens chez moi, mon passé, mes souvenirs ont été faits ici. Mon père, même aujourd'hui, jamais il ne se sentira français, il n'a même aucune notion du rapport avec la France. Ils sont tous comme ça, ils resteront portugais les vieux.

Entrés en jeu – Sport et migrations, XXIe-XXe siècle

Par Marianne Amar

Dans la seconde moitié du XIXe siècle, la diffusion du sport moderne à partir de la Grande-Bretagne va de pair avec la migration des hommes. Portés par la naissance des loisirs et la révolution industrielle, ces flux liés au sport accompagnent les déplacements de l'aristocratie britannique, des ingénieurs et des commerçants, des employés, des cheminots et des marins. Dans les villégiatures de la côte normande, sur les bords de l'océan, la bourgeoisie française s'initie au *lawn tennis*. Le Havre Athletic Club est fondé dès 1872 par des Britanniques, suivi du Paris Association Football Club en 1887. Une poignée de lycéens parisiens sont également conquis, le tout sur fond d'anglomanie synonyme de modernité.

La gymnastique, autre modalité de l'exercice des corps au XIXe siècle, bénéficie aussi d'apports étrangers. En 1813, quand les troupes françaises quittent l'Espagne, Francisco Amoros y Ondeano, marquis de Soleto, noble espagnol gagné aux Lumières et rallié à Joseph Bonaparte, prend la route de l'exil vers Paris. En 1820, il se voit confier la direction du Gymnase normal civil et militaire de Grenelle, où il élabore la première méthode française d'éducation physique. En dépit de ces origines, la gymnastique reste portée par un nationalisme des corps qui s'oppose au cosmopolitisme sportif.

Le récit des amateurs

Au tournant du XXe siècle, après avoir conquis les classes moyennes en pleine expansion, le sport pénètre les catégories populaires. Les travailleurs migrants, souvent les mieux installés, investissent le jeu avec des ambitions spécifiques. Il s'agit de préserver l'identité du groupe et de resserrer les liens communautaires autour de lieux et de sociabilités partagés. Jouer ensemble, « faire corps » littéralement et symboliquement, permet d'assurer la cohésion de la communauté et de donner à la société d'accueil une image du groupe saine, disciplinée et rassurante. Au sein des clubs, la hiérarchie sociale désigne deux catégories de sportifs. Les notables, les mieux installés, souvent issus des premières vagues de migration, dirigent. Les plus jeunes, les moins fortunés, les plus récemment arrivés, jouent. Ainsi, l'Union générale arménienne de scoutisme et de culture physique naît en 1924 à l'initiative de sept jeunes réfugiés, hébergés dans le camp Oddo, à Marseille. Dans leur entreprise, ils bénéficient du soutien de familles arméniennes présentes dans la ville depuis la fin du XIXe siècle, qui disposent d'une solide position sociale.

Le développement du sport en migration pose rapidement la question de ses territoires. Être membre d'un club et jouer sur un vrai stade demeure un privilège dans des existences marquées par la précarité et les déplacements incessants. Tout au long du XXe siècle, les migrants sont contraints de pratiquer dans les interstices des villes, les espaces en friche et les territoires d'exclusion : la « zone » qui entoure Paris, les allées des corons, les cités HLM, mais aussi les camps d'internement ou les bidonvilles. Le passage d'un sport informel à l'encadrement du club peut, inversement, témoigner d'une installation durable sur le sol français et d'une acceptation des règles sociales du pays d'accueil. Dans la banlieue nord de Paris, les migrants espagnols s'initient au football dans l'enceinte du Patronato de Saint-Denis, espace clos de l'entre-soi à l'écart du mouvement sportif. En 1928, les pratiques se structurent et donnent naissance à un véritable club, avec la création du Real Deportivo Español de Paris, affilié à la Ligue de Paris et à la Fédération française de football.

En raison du manque de moyens, de leur isolement relatif, de leur recrutement étroit, les équipes étrangères touchent vite leurs limites et poussent les sportifs en mal de progrès à entrer dans les clubs français. Sur la longue durée, nombre de trajectoires sportives témoignent de cette évolution même si quelques clubs, comme l'US

Lusitanos fondé par des migrants portugais en 1966, affichent de belles réussites. Les sociabilités de la jeunesse contribuent aussi à tisser des liens. Au fur et à mesure de leur intégration dans la société française, les jeunes migrants tendent à quitter les clubs rattachés au pays des parents, pour rejoindre ceux de la ville où ils habitent, de l'entreprise où ils travaillent ou du mouvement ouvrier français. L'identification au territoire d'installation l'emporte alors sur le pays d'origine. Mais l'évolution se fait lentement. Il faut attendre le milieu des années 1930 et le Front populaire pour que le glissement des microsociétés immigrées aux sociabilités partagées soit significatif.

Après la guerre, la massification des pratiques accélère le phénomène. La plus grande place du sport dans le système scolaire, les subventions attribuées aux associations agréées, le développement de l'encadrement renforcent collectivement le pouvoir d'attraction des clubs français et favorisent l'entrée des jeunes d'origine immigrée. Mais le processus d'intégration lent et complexe, porté par des échanges nourris avec la société d'accueil, change de nature. Dès la Libération, les pouvoirs publics ont voulu faire du sport un outil d'intégration de la jeunesse. À la fin des années 1970, quand l'intégration des migrants et de leurs enfants devient une politique publique, on invoque à nouveau ses qualités « naturelles » pour contrôler et discipliner les jeunes des quartiers, sans obtenir de grands résultats.

En un peu plus d'un siècle, la trajectoire du sport en migration mène, individuellement et collectivement, des espaces de l'entre-soi aux sociabilités partagées. Mais ce mouvement général mérite d'être nuancé. Les traditions nationales influencent les pratiques sportives. Ainsi, le mouvement *Sokol* (« le faucon »), arrivé en France à la fin du XIXᵉ siècle avec les premiers migrants tchécoslovaques et conforté après 1919 par l'apport massif des Polonais, délaisse le sport collectif au profit de la gymnastique, et porte de fortes revendications identitaires assez peu perméables à l'attraction des clubs français. Plus près de nous, la vitalité des équipes portugaises ou turques témoigne de la force des sentiments nationaux et de la cohésion communautaire.

Les formes de la pratique changent également selon les territoires d'installation. Dès l'entre-deux-guerres, dans les régions de mines ou de grande industrie, le patronat paternaliste met en place des clubs qui favorisent le rapprochement entre travailleurs français et étrangers, pour renforcer l'esprit d'entreprise. Le sport ouvrier encourage également les échanges au nom de la solidarité de classe. Dans les campagnes, les migrants trop dispersés pour fonder leurs propres associations rejoignent les équipes françaises.

Le genre trace une autre frontière. Balbutiant dans les années 1920, le sport féminin recrute surtout dans les migrations d'élite et chez les réfugiées déjà conquises aux pratiques sportives, comme les Russes arrivées après la révolution bolchevique ou les Allemandes et Autrichiennes antinazies. Après 1945, la pratique féminine se diffuse lentement avec des résultats fragiles. Aujourd'hui encore, le sport en migration demeure largement marqué par les différences de genre en dépit de mesures volontaristes.

L'histoire du sport en migration ne peut ignorer les usages sociaux du corps. À travers une technique partagée, le geste sportif construit un langage universel qui facilite les échanges. Mais l'engagement sportif peut aussi apparaître comme un manifeste des corps, mobilisé contre la domination de la société d'accueil. Au cours des années 1930, le sport juif, d'inspiration sioniste ou communiste, oppose le corps redressé des athlètes aux stéréotypes de la propagande antisémite, qui dessine un Juif lâche, physiquement faible, incapable de se battre. Dans les camps d'internement, les rares pratiques sportives relèvent d'une forme de résistance. Le jeu permet aux internés de retrouver un espace de liberté relative, régi par des règles qu'ils ont choisies. Pendant les Trente Glorieuses, les Portugais chercheront également à se défaire, dans le sport, de l'image d'une immigration silencieuse et soumise. D'où des affrontements souvent rudes dans les compétitions qui les opposent aux clubs français dans les années 1960 et 1970 : à travers l'usage de la violence, le corps redouble ici l'affirmation identitaire portée par les sociabilités sportives.

L'épopée des champions

Avant la Première Guerre mondiale, la notion d'étranger n'a guère de sens dans un sport largement cosmopolite. Les champions venus de nombreux pays contribuent aux victoires de la France, sans avoir forcément besoin de changer de nationalité. En 1894, le Standard Athletic Club fondé par des Britanniques gagne le championnat de football avec un seul joueur français. À côté des champions venus de l'élite, les premiers sportifs issus des migrations ouvrières accèdent au statut de champions. Maurice Garin, le « petit ramoneur » italien, arrive du Val d'Aoste en 1891. En 1901, désormais installé comme « marchand de vélocipèdes » à Roubaix, il obtient la nationalité française. Deux ans plus tard, il remporte le premier Tour de France, épreuve inscrite par son tracé et ses ambitions dans la symbolique nationale. Dans son dossier de naturalisation, interrogé sur le motif de sa demande, Maurice Garin répondait : « Pour servir la France[1] », annonçant ainsi la nationalisation du sport, qui s'accélère après la Première Guerre mondiale.

La fin du conflit clôt l'ère du cosmopolitisme. À partir de 1918, le sport s'organise sur la base des États-nations et les compétitions internationales exaltent le patriotisme. Les entraîneurs étrangers continuent de venir travailler en France mais sans échapper aux procédures qui contrôlent désormais l'entrée et le séjour des migrants. Le championnat professionnel de football, créé en 1932, instaure un quota de trois étrangers par équipe, chiffre réduit à deux en 1938. En équipe de France, les naturalisés restent néanmoins nombreux, comme Gusti Jordan, footballeur autrichien immigré en 1933, devenu français cinq ans après et immédiatement intégré dans l'équipe nationale. Le spectacle sportif en plein essor et sa médiatisation contribuent également à ce processus de nationalisation. Entre épopée, construction identitaire et crispation xénophobe, le récit du sport renforce souvent les stéréotypes élaborés et diffusés dans l'ensemble de la société, qui stigmatisent les étrangers et les migrants coloniaux. Le 24 septembre 1922, pour avoir envoyé au tapis Georges Carpentier lors du championnat du monde de boxe, le Sénégalais Battling Siki verra sa victoire contestée par son adversaire et une presse ouvertement raciste, qui s'indigne de voir un « indigène » supplanter le champion français.

Quelles que soient les difficultés, le sport offre à certains migrants une possibilité d'ascension sociale. Ses mécanismes se mettent en place après le premier conflit mondial et ne changeront guère. La première étape passe par l'intégration dans un club français, qui leur permet de se confronter à la société d'accueil, de nouer des contacts et parfois d'obtenir un logement, un travail, des papiers ou de meilleures conditions d'entraînement. Les sports professionnels, comme le football, le cyclisme et la boxe, offrent aux plus talentueux un métier et des revenus. Pour les amateurs, la victoire demeure symbolique, mais elle permet, en fin de carrière, de devenir éducateur, entraîneur ou d'acquérir un commerce. Les trajectoires sportives rejoignent ici les trajectoires sociales, le petit commerce étant l'une des voies offertes pour échapper à la condition ouvrière ou se reconvertir en temps de crise.

Ces réussites par le sport s'avèrent souvent modestes, voire précaires. Repéré par un officier en Algérie, arrivé en métropole en 1923, Ahmed Boughera El Ouafi travaille comme manœuvre chez Renault pour assurer sa subsistance tout en s'entraînant au Club olympique de Billancourt. En 1928, il remporte le marathon aux Jeux olympiques d'Amsterdam et décide, après sa victoire, de tenter sa chance outre-Atlantique. Mais sa participation à des courses professionnelles lui vaut d'être radié par les instances sportives, intransigeantes sur l'amateurisme. De retour en France, il ouvre un commerce, échoue dans son entreprise et meurt, indigent, oublié, en 1959, dans une fusillade en pleine guerre d'Algérie.

À la Libération, les réformes confortent le rôle de l'État dans le sport, mobilisé pour assurer la « grandeur » du pays. Les enfants des migrants de l'entre-deux-guerres, qui arrivent à l'âge adulte, assurent leur part de victoires. Emmenée par Raymond Kopa, fils de Polonais né Kopaszewski, et par Roger Piantoni, Italien d'origine, l'équipe de France de football finit troisième de la Coupe du monde lors de la campagne suédoise de 1958. Mais leur présence témoigne d'abord d'une logique démographique et de la place croissante du sport dans la société. À cette époque, loin de renouer avec le cosmopolitisme des origines, le championnat de France de football se replie sur une politique protectionniste et interdit le recrutement de joueurs étrangers. Dans leur quête de médailles, les pouvoirs publics décident aussi de faire venir en métropole les meilleurs athlètes de l'Union française. Entre 1952 et 1956, les « non-Européens » remportent 56 titres de champions de France en athlétisme et participent à 85 % des victoires tricolores dans cette discipline[2]. Alain Mimoun, Algérien, ancien militaire du 3e RTA, blessé devant Monte Cassino en 1944, champion olympique du marathon en 1956, proclame alors son attachement indéfectible à la France. Il pourrait servir d'emblème à cette génération d'athlètes coloniaux enrôlés au service de la métropole, mais la guerre d'Algérie révèle une fracture. Depuis 1946, les migrations de footballeurs se sont accélérées, favorisées par la libre circulation entre la France et l'Algérie, le recrutement intensif des clubs métropolitains et l'espoir d'une vie meilleure. Avec la guerre d'Indépendance, le stade devient un enjeu politique. Les relations se tendent entre Européens et Algériens. Dès 1956, le FLN ordonne aux clubs et aux joueurs « musulmans d'Algérie » de cesser toute activité. L'année suivante, des bombes éclatent dans plusieurs stades d'Alger. En avril 1958, neuf joueurs engagés dans le championnat de France professionnel quittent clandestinement leurs clubs pour rejoindre Tunis et créer une équipe algérienne, qui servira d'emblème au nationalisme.

Au cours des deux décennies qui suivent, le sport français continue d'accueillir dans ses rangs les champions issus des différentes vagues migratoires. Mais leur intégration se fait en silence, sans revendication identitaire. La poussée du Front national, au milieu des années 1980, installe la « question » de l'immigration au cœur du débat politique et change la donne. En football, la génération Platini, où se côtoient descendants d'Italiens, d'Espagnols, de Portugais, de Maliens, certains nés en France, d'autres naturalisés, devient, dans certains discours, un « miroir » de l'histoire de l'immigration et un modèle à opposer aux thèses du Front national. Ces récits sur le sport ont une visée précise : en « révélant » la place conquise par les enfants d'immigrés, en faisant de cette équipe le dépositaire d'un style national, ils permettent d'ériger le stade en lieu symbolique du creuset français. Même si ces footballeurs entretiennent avec leurs origines un rapport ambivalent et parfois distant.

À partir des années 1990, la mondialisation des échanges, l'accélération des circulations favorisée par l'évolution des règles sportives[3], le poids croissant de la finance, mais aussi les filières clandestines, la précarité des statuts, la question complexe de la double nationalité, modifient progressivement l'économie générale du sport et contribuent à réduire le poids du national. Né d'une économie de libre-échange, le sport de haut niveau devient, au tournant du XXIe siècle, une géopolitique et un marché.

C'est dans ce paysage en mutation que s'inscrit la victoire de la France lors de la Coupe du monde de football 1998. L'événement ne porte aucune transformation sociale et se contente d'éclairer la diversité de la société française. Mais il construit, à travers les récits qui en sont donnés, une véritable mythologie, celle d'une France « black, blanc, beur » réconciliée autour du stade et au-delà. Le sport, « modèle idéalisé de lien social[4] » , se trouve à nouveau paré de vertus censées s'imposer à la société tout entière : intégration, antiracisme, tolérance. La portée réelle de l'événement tient donc dans ses représentations. Sur la longue durée, le sport en migration s'inscrit aussi dans une histoire à plusieurs degrés. Il interroge à la fois les trajectoires sociales des athlètes et la force symbolique de leurs victoires, les logiques identitaires à l'œuvre et l'universel du jeu, l'événement et le récit qui en est fait, pour écrire en fin de compte une histoire de la migration *par* le sport.

Marianne Amar
Historienne, responsable du département Recherche de la Cité nationale de l'histoire de l'immigration

Bibliographie sélective sur le sport

Yvan Gastaut, Le Métissage par le foot. L'intégration, mais jusqu'où ?, Autrement, 2008.

Pierre Lanfranchi, « Football, cosmopolitisme et nationalisme », Pouvoirs, n° 101, « Le Football », avril 2002, p. 15-25.

« Sport et immigration : parcours individuels, histoires collectives », Migrance, n°22, Éditions Mémoire-Génériques, deuxième trimestre 2003.

« Pratiques sportives et relations interculturelles : quelques éclairages historiques », Migrations Sociétés, vol. 19, n° 110, mars-avril 2007.

« L'intégration par le sport », Sociétés contemporaines, n° 69, 2008/1.

Ouvrages sur l'immigration qui traitent du sport

Marie-Ange d'Adler, Le Cimetière musulman de Bobigny. Lieu de mémoire d'un siècle d'immigration, Autrement, 2005.

Natacha Lillo, Espagnols en banlieue rouge, histoire comparée des trois principales vagues migratoires à Saint-Denis et dans sa région au XIXe siècle, thèse soutenue en 2001 à l'Institut d'études politiques de Paris.

Pierre Milza, Voyage en Ritalie, Payot & Rivages, 1995.

Janine Ponty, Polonais méconnus. Histoire des travailleurs immigrés en France dans l'entre-deux-guerres, Publications de la Sorbonne, 1988.

Stéphane Beaud et Gérard Noiriel, « L'immigration dans le football », Vingtième siècle — Revue d'Histoire, n° 26, 1990.

1. *Archives nationales, dossier de naturalisation de François Maurice Garin, BB11 3033X98.*

2. *Marianne Amar,* Nés pour courir – Sport, pouvoirs et rébellions, 1944-1958, *PUG, p. 217.*

3. *En 1995, l'arrêt Bosman impose la libre circulation des joueurs européens au sein de l'Union.*

4. *Pascal Duret,* Sociologie du sport, *PUF, coll. « Que sais-je ? », 2008, p. 52.*

Günes

AU VILLAGE, ÇA SE PASSAIT MAL.

LA POLICE VENAIT SOUVENT, ILS
CHERCHAIENT DES JOURNAUX, DES
LIVRES, ILS CHERCHAIENT TOUJOURS
QUELQUE CHOSE.

S'ILS NE TROUVAIENT RIEN, ILS
METTAIENT TOUT PAR TERRE, DES
FOIS ILS CASSAIENT, CHEZ MOI ET
DANS TOUT LE VILLAGE.

C'ÉTAIT
UN VILLAGE KURDE,
JE SUIS KURDE ALÉVI.

Buket

C'EST PARCE QUE LES KURDES SONT MAL VUS,
ILS PENSENT QUE C'EST COMME LA MAFIA,
C'EST POUR ÇA QU'ILS CHERCHAIENT DES CHOSES.

Günes

J'AI UN NEVEU QUI EST EN PRISON PARCE
QU'IL EST PASSÉ, EN SORTANT DE SON
TRAVAIL, DANS UNE MANIFESTATION.

AU VILLAGE TOUS LES
JEUNES SONT PARTIS, IL
NE RESTE QUE LES VIEUX.

QUATRE FRÈRES EN
ALLEMAGNE, UN AU
CANADA, UNE SŒUR
EN SUISSE ET DEUX
EN FRANCE. ON EST
TOUS PARTIS.

ON N'ÉTAIT PAS TRANQUILLES, PAS LIBRES.

JE ME SUIS MARIÉE À 16 ANS AVEC UN
HOMME D'UN AUTRE VILLAGE ET ON EST
PARTIS À ISTANBUL.

ON ÉTAIT JEUNES, C'EST UNE HISTOIRE
D'AMOUREUX. APRÈS ÇA N'A PAS MARCHÉ
MAIS C'EST AUTRE CHOSE.

DANS LE VILLAGE ON AVAIT UNE ÉCOLE MAIS
C'ÉTAIT UN PROFESSEUR POUR LES SIX CLASSES
DE PRIMAIRE. IL ÉCRIVAIT, IL PARTAIT, IL PASSAIT
SON TEMPS COMME ÇA. ILS N'AVAIENT PAS DONNÉ
BEAUCOUP DE PROFESSEURS PARCE QUE C'ÉTAIT
UN VILLAGE KURDE. IL SAVAIT QU'ON N'ALLAIT
PAS DEVENIR MÉDECINS OU ÉCRIVAINS MAIS IL DISAIT
QU'IL FALLAIT LIRE, SE CULTIVER SOI-MÊME, ET
NE PAS LAISSER TOMBER.

IL DONNAIT TOUJOURS DE L'ESPOIR.

UN JOUR IL A MÊME PLEURÉ ...

À ISTANBUL, J'AI CONTINUÉ AU COLLÈGE MÊME SI J'AVAIS 16 ANS. LE SOIR QUAND JE M'ENDORMAIS, LES MOTS DE MON PROFESSEUR ME REVENAIENT SOUVENT. AU LYCÉE J'AI TRAVAILLÉ, JE VOULAIS COMPRENDRE ET J'AI EU MON BAC.

À ANTALYA OÙ VIVAIT MON FRÈRE, J'AVAIS UNE BELLE-SŒUR TURQUE DONT LE PÈRE ÉTAIT MILITAIRE.

C'ÉTAIT TENDU ENTRE NOUS.

... EN NOUS DISANT QU'IL FALLAIT TRAVAILLER, NOUS DÉBROUILLER. IL AIDAIT DES ÉLÈVES LE SOIR ET LE WEEK-END, ON A APPRIS BEAUCOUP DE CHOSES AVEC LUI. J'AI COMPRIS CE QU'IL VOULAIT DIRE.

IL ÉTAIT COMMANDANT, C'EST LUI QUI ÉTAIT CHARGÉ DE PRÉPARER DES OPÉRATIONS POUR ASSASSINER DES KURDES. IL CRITIQUAIT LES KURDES, IL VOULAIT ABSOLUMENT TUER.

LES KURDES IL FAUT LES TUER

VAS-Y, COMMENCE PAR MOI ET MA FILLE !

Buket
MA MÈRE ÇA LA DÉGOÛTAIT, ELLE SE DISAIT QU'ON ALLAIT MAL FINIR NOUS AUSSI.

ET PUIS C'ÉTAIT PAS BIEN VU UNE MÈRE QUI HABITE SEULE EN VILLE AVEC SA FILLE. PAR RAPPORT AU REGARD DES GENS, AUX CRITIQUES, ELLE ESSAYAIT TOUJOURS DE S'EN SORTIR MAIS IL Y AVAIT TOUJOURS UN TRUC QUI N'ALLAIT PAS.

ELLE N'AVAIT PLUS D'ESPOIR.

Günes
J'AI DÉTESTÉ ÇA. C'EST MON PAYS MAIS ON N'EST PAS LIBRE, ON N'EST PAS BIEN, BEAUCOUP DE CHOSES SE PASSENT MAL. JE ME SUIS DIT QUE C'ÉTAIT BEAUCOUP MIEUX QUE JE PARTE AVEC MA FILLE, DANS UN PAYS LIBRE. C'ÉTAIT UNE DÉCISION DIFFICILE MAIS...

ALORS QU'EN TURQUIE IL N'Y A PAS DE DÉMOCRATIE.

IL Y AVAIT AUSSI DES PROBLÈMES DE FAMILLE AVEC MON PÈRE, C'ÉTAIT LA GUERRE DANS LA MAISON.

MOI J'ÉTAIS PETITE, J'ÉTAIS DANS MON MONDE, JE N'EN AI PAS BEAUCOUP BAVÉ.

MAIS AUJOURD'HUI J'AI DE LA HAINE CONTRE DES GENS DE L'ÉPOQUE, MA MÈRE N'A PAS EU DE CHANCE.

Buket
ON LUI PARLAIT DE LA FRANCE, DE LA DÉMOCRATIE ET TOUT ÇA.

DES GENS AU TÉLÉPHONE NOUS DISAIENT QU'EN EUROPE ÇA SE PASSAIT BIEN.

Günes
UNE AMIE CONNAISSAIT UN PASSEUR À ISTANBUL. NOUS Y AVONS ÉTÉ, NOUS AVONS PAYÉ SIX MILLE DEUTSCHE MARKS.

VOUS VOULEZ ALLER EN FRANCE ?

Buket
LE JOUR OÙ ON EST PARTIS, ON AVAIT TOUT LAISSÉ DANS LA MAISON, MA MÈRE AVAIT PRÉPARÉ CE QU'ELLE VOULAIT AMENER AVEC ELLE.

ON N'A PAS PRIS LES TAPIS...

JE SENTAIS QU'ON PARTAIT DÉFINITIVEMENT ET LOIN

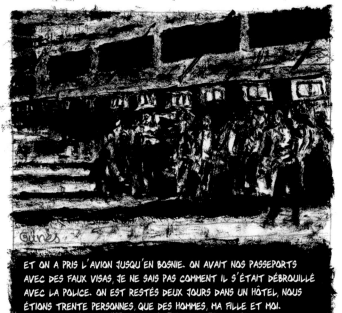

Günes

ET ON A PRIS L'AVION JUSQU'EN BOSNIE. ON AVAIT NOS PASSEPORTS AVEC DES FAUX VISAS, JE NE SAIS PAS COMMENT IL S'ÉTAIT DÉBROUILLÉ AVEC LA POLICE. ON EST RESTÉS DEUX JOURS DANS UN HÔTEL, NOUS ÉTIONS TRENTE PERSONNES, QUE DES HOMMES, MA FILLE ET MOI.

LE TROISIÈME JOUR, ON A PRIS DES VOITURES POUR LA CROATIE. MAIS LÀ ILS ONT PRIS LES PASSEPORTS EN DISANT QU'ILS NOUS LES ENVERRAIENT PLUS TARD.

Buket
ON S'EST FAIT ARNAQUER EN FAIT.

Günes
APRÈS LA FRONTIÈRE DE LA CROATIE, IL A FALLU QU'ON MARCHE DANS UNE FORÊT.

Buket
JE M'EN SOUVIENS TRÈS BIEN. COMME IL N'Y AVAIT QUE DES HOMMES, ILS NOUS AIDAIENT. ILS AVAIENT DE LA PITIÉ POUR MA MÈRE QUI ÉTAIT JEUNE.

ON A MARCHÉ PENDANT QUATRE HEURES ET C'ÉTAIT HORRIBLE, ON ÉTAIT OBLIGÉS DE COURIR PARCE QU'IL Y AVAIT DES POLICIERS QUELQUE PART QUI TIRAIENT DES COUPS DE FEU.

ILS NOUS FAISAIENT PEUR.

ON ÉTAIT FATIGUÉS ON AVAIT FAIM ON AVAIT PEUR DE SE FAIRE ATTRAPER.

À UN MOMENT ON A MÊME DÛ SE CACHER DANS LA BOUE.

Günes
ON EST ARRIVÉS DANS UNE PETITE MAISON.

AVEC MA FILLE ON A DORMI À PART, DANS LA CUISINE. J'AVAIS PEUR, JE N'AI PAS DORMI DE LA NUIT.

AU PETIT MATIN, TOUT LE MONDE S'EST MIS À CRIER, ON AVAIT VOLÉ L'ARGENT DES GENS. TOUT LE MONDE S'ACCUSAIT ET SE FOUILLAIT MAIS C'ÉTAIT LES PASSEURS. MOI ILS NE M'AVAIENT RIEN PRIS.

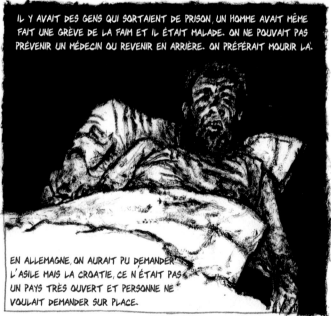

IL Y AVAIT DES GENS QUI SORTAIENT DE PRISON, UN HOMME AVAIT MÊME FAIT UNE GRÈVE DE LA FAIM ET IL ÉTAIT MALADE. ON NE POUVAIT PAS PRÉVENIR UN MÉDECIN OU REVENIR EN ARRIÈRE. ON PRÉFÉRAIT MOURIR LÀ.

EN ALLEMAGNE, ON AURAIT PU DEMANDER L'ASILE MAIS LA CROATIE, CE N'ÉTAIT PAS UN PAYS TRÈS OUVERT ET PERSONNE NE VOULAIT DEMANDER SUR PLACE.

BuKet (QUI PLEURE)

PENDANT HUIT JOURS ON A VRAIMENT GALÉRÉ, IL Y A DES SOUVENIRS... MOI ÇA ME HANTE. SUR LE MOMENT ÇA NE M'A RIEN FAIT, J'ÉTAIS PETITE MAIS C'EST APRÈS QUAND J'Y PENSE ET QUE J'ANALYSE, ÇA FAIT VRAIMENT MAL.

C'EST QUELQUE CHOSE QUI EST EN NOUS, JE N'EN PARLE PAS DU TOUT. MÊME AVEC MA MÈRE ON ÉVITE PARCE QUE QUAND ON LE FAIT ON DÉPRIME VRAIMENT. ON N'AVAIT PAS LE TEMPS À L'ÉPOQUE DE RÉAGIR, DE RÉFLÉCHIR, DE PLEURER MAIS APRÈS VOUS EN BAVEZ.

PSYCHOLOGIQUEMENT C'ÉTAIT DUR, ON A ATTENDU UNE SEMAINE DANS LA MAISON QUE LES PASSEURS VIENNENT NOUS CHERCHER.

Günes

LES PASSEURS ONT TÉLÉPHONÉ, ILS NOUS ONT DIT D'ATTENDRE DEVANT UNE CABINE TÉLÉPHONIQUE. TOUT LE MONDE EST SORTI ET ON A ATTENDU UNE JOURNÉE. ILS NE SONT PAS VENUS.

ON EST REPARTIS À LA MAISON MAIS ELLE ÉTAIT FERMÉE À CLÉ. ON ÉTAIT VRAIMENT DEHORS, ON NE POUVAIT RIEN FAIRE.

CERTAINS VOULAIENT ALLER EN ANGLETERRE, D'AUTRES EN ALLEMAGNE. ON A REGARDÉ LES CARTES POUR PASSER LES FRONTIÈRES ET ON S'EST SÉPARÉS. JE N'AI PAS EU DE NOUVELLES D'EUX.

AVEC MA FILLE ON A PRIS UN TRAIN.

ON A EU DE LA CHANCE, IL N'Y A PAS EU DE CONTRÔLE, ON EST DESCENDUES EN ITALIE.

C'ÉTAIT L'ÉTÉ, ON ÉTAIT DEHORS, ON ATTENDAIT TOUTES LES DEUX.

ON EST RESTÉES UNE SEMAINE EN ITALIE.

Günes

DEPUIS LE DÉPART ON N'AVAIT PAS PRIS DE DOUCHE, ON S'EST DIT QU'ON IRAIT À LA PLAGE LA NUIT, ON NE POUVAIT PAS ALLER DANS UN HÔTEL PARCE QU'ON N'AVAIT PAS DE PASSEPORT. MA FILLE AVAIT TRÈS FAIM. AVEC UN PETIT DICTIONNAIRE ANGLAIS-ITALIEN, J'AI EXPLIQUÉ AU MONSIEUR ET IL A ÉTÉ GENTIL. IL NOUS A DIT POUR PASSER LA FRONTIÈRE ET CE QU'ON DEVAIT FAIRE.

Buket

ON A DORMI SUR LA PLAGE, ON AVAIT RENCONTRÉ UN MONSIEUR QUI NOUS AVAIT DONNÉ DES CHOCOLATS.

APRÈS ON EN A ENCORE PRIS UN POUR PARIS. ON N'A PAS EU DE CONTRÔLE. JUSTE UNE FOIS IL Y EN A EU UN MAIS J'AI DIT À MA FILLE DE SE CACHER DERRIÈRE LA PORTE DES TOILETTES ET MOI JE SUIS PARTIE AILLEURS.

ON VOULAIT ALLER À MILAN. J'ÉTAIS FATIGUÉE, JE SOMMEILLAIS, ON MANGEAIT MAL. ON S'EST TROMPÉES, ON A DÛ REPRENDRE UN AUTRE TRAIN POUR MILAN.

ET ON A RÉUSSI, ON A ÉTÉ CHEZ MA SŒUR QUI VIT À PARIS DEPUIS VINGT ANS.

PENDANT UN MOIS, JE N'AI RIEN PU FAIRE. J'ÉTAIS FATIGUÉE, PSYCHOLOGIQUEMENT AUSSI. ON A PARLÉ AVEC MA SŒUR ET ON A ARRANGÉ LES CHOSES PETIT À PETIT. JE N'AVAIS AUCUN JUSTIFICATIF POUR DEMANDER LE STATUT DE REFUGIÉE. JE N'AVAIS RIEN.

Buket

ON N'ÉTAIT MÊME PAS INSCRITES DANS UN ORDINATEUR, IL FALLAIT QU'ON S'INSCRIVE EN FRANCE.

Günes

ON A PRIS UN AVOCAT, MA SŒUR EN TURQUIE A TROUVÉ UNE PHOTOCOPIE DE L'ACTE DE NAISSANCE ET ÇA A MARCHÉ. ON A FAIT LA DEMANDE, ON A ATTENDU TROIS ANS ET DEMI ET LA DEMANDE A ÉTÉ REJETÉE. J'AI FAIT APPEL ET ÇA A MARCHÉ, J'AI EU LE STATUT, POUR DIX ANS.

Buket

MOI J'AVAIS RATÉ BEAUCOUP DE COURS. SANS PARLER DE LA LANGUE, J'AVAIS SIX MOIS DE RETARD SUR LE PROGRAMME. MAIS JE N'AI JAMAIS REDOUBLÉ GRÂCE AUX MATHS. C'EST LES MATHS QUI M'ONT SAUVÉE.

ÇA A ÉTÉ
DUR D'ARRIVER ICI,
J'ÉTAIS TRÈS TIMIDE,
JE NE PARLAIS PAS.

ÇA N'ALLAIT PAS AVEC LES AUTRES ÉLÈVES, DES FOIS JE ME FAISAIS TAPER. J'ÉTAIS DANS UNE ÉCOLE OÙ IL Y AVAIT BEAUCOUP D'ÉTRANGERS.

AU COLLÈGE, J'AI COMMENCÉ À PARLER MAL, J'ÉTAIS TOUT LE TEMPS ÉNERVÉE. JE CROIS QUE J'AI TOUT ENCAISSÉ ET D'UN COUP J'AI EXPLOSÉ, JE ME RÉVOLTAIS À MA FAÇON.

CES ÉVÈNEMENTS ME HANTENT MAIS ILS M'ONT DONNÉ BEAUCOUP DE CARACTÈRE. JE M'ÉNERVE VITE, JE CROIS QUE C'EST LIÉ AU PASSÉ.

J'AVOUE QUE JE N'AIME PAS L'ÉCOLE CAR J'AI TOUJOURS DÛ PLUS TRAVAILLER QUE LES AUTRES.

ÇA M'A DÉGOÛTÉE. J'AI PLEIN DE LACUNES.

QUAND JE VOIS MA MÈRE QUI EST FEMME DE MÉNAGE, JE ME DIS TOUT ÇA RIEN QUE POUR MOI, POUR QUE JE FASSE DES ÉTUDES ET QUE JE M'EN SORTE. JE LUI DOIS ÇA.

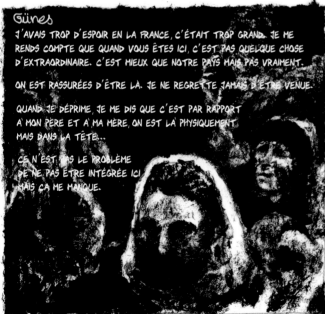

Günes
J'AVAIS TROP D'ESPOIR EN LA FRANCE, C'ÉTAIT TROP GRAND. JE ME RENDS COMPTE QUE QUAND VOUS ÊTES ICI, C'EST PAS QUELQUE CHOSE D'EXTRAORDINAIRE. C'EST MIEUX QUE NOTRE PAYS MAIS PAS VRAIMENT.

ON EST RASSURÉES D'ÊTRE LÀ. JE NE REGRETTE JAMAIS D'ÊTRE VENUE.

QUAND JE DÉPRIME, JE ME DIS QUE C'EST PAR RAPPORT À MON PÈRE ET À MA MÈRE, ON EST LÀ PHYSIQUEMENT MAIS DANS LA TÊTE...

CE N'EST PAS LE PROBLÈME DE NE PAS ÊTRE INTÉGRÉE ICI MAIS ÇA ME MANQUE.

Buket
ON NE SE SENT PAS VRAIMENT À NOTRE PLACE.

Günes
JE NE PEUX PAS REVOIR MA FAMILLE, IL FAUT UN VISA ET C'EST COMPLIQUÉ. IL FAUT QUE JE CHANGE TOUT, MON NOM ET TOUT...

JE VAIS AVOIR DES PROBLÈMES SI JE RETOURNE LÀ-BAS.

Buket
L'ANNÉE PROCHAINE, À 16 ANS, JE VAIS FAIRE MA DEMANDE DE NATIONALITÉ. J'AURAI PLUS DE CHANCE QUE MA MÈRE, J'ÉTUDIE ICI. JE VAIS ESSAYER.

Günes
MAINTENANT ICI C'EST COMME MON PAYS, JE SUIS LÀ, J'AI DES PAPIERS, JE TRAVAILLE COMME TOUT LE MONDE.

Buket
C'EST ICI QU'ON A CONSTRUIT NOTRE VIE.

Günes
J'AI LE STATUT POUR DIX ANS, APRÈS JE NE SAIS PAS. ON REFAIT LES VALISES POUR UN AUTRE PAYS, UN AUTRE VOYAGE ?

LES VALISES SONT PRÊTES. SI PETIT À PETIT CE N'EST PLUS UNE DÉMOCRATIE.

JE TROUVE QUE ÇA S'EMPIRE, DEPUIS QUE JE SUIS LÀ, SARKOZY A VOLÉ LA POLITIQUE DE LE PEN C'EST PLUS DANGEREUX.

ça s

Buket
MOI JE FERAI TOUT POUR RESTER ICI, JE NE VOUDRAIS PAS REPARTIR, J'AI ASSEZ GALÉRÉ POUR MES ÉTUDES. QU'ON LE VEUILLE OU NON, ON VIT AVEC LA CULTURE FRANÇAISE MAIS ON SERA TOUJOURS DES ÉTRANGÈRES.

JE NE VOUDRAIS PAS CHANGER DE NOM POUR LA NATIONALITÉ, JE VEUX GARDER QUELQUE CHOSE D'OÙ ON VIENT.

uffit !

Günes
ON NE SAIT PAS CE QUE L'AVENIR NOUS RÉSERVE. MOI JE VOUDRAIS QUE SI UNE PERSONNE DE L'AUTRE BOUT DU MONDE VEUT ALLER JE NE SAIS PAS OÙ, QU'ELLE LE FASSE, QU'ELLE AIT LA LIBERTÉ DE VOYAGER.

CHACUN DOIT POUVOIR VIVRE OÙ IL VEUT.

MAINTENANT JE VOUDRAIS FAIRE UNE FORMATION, POUR TRAVAILLER DANS UNE BOULANGERIE OU UN RESTAURANT, PEUT-ÊTRE OUVRIR UN PETIT COMMERCE.

J'AI 31 ANS.

AUJOURD'HUI C'EST MIEUX QUE RIEN, AVEC NOTRE SITUATION, JE VAIS CONTINUER, ÇA VA.

Buket
MOI JE VOUDRAIS FAIRE ÉDUCATRICE, ÇA ME PLAIRAIT, J'AIME LE CONTACT AVEC LES GENS, POUR LES AIDER À RÉSOUDRE LEURS PROBLÈMES.

99

QUAND ON EST ARRIVÉS EN FRANCE, MON PÈRE A TRAVAILLÉ COMME OUVRIER MENUISIER. J'AI EU LA CHANCE D'HABITER DANS UN QUARTIER DE CLASSES MOYENNES.

MA MÈRE DISAIT:

SI J'AI QUITTÉ LE MAROC, C'EST PAS POUR LE RETROUVER EN FRANCE.

LE FAIT D'HABITER À L'EXTÉRIEUR DE LA ZONE DE PARCAGE A COÛTÉ CHER À MES PARENTS, LE LOYER N'ÉTAIT PAS MODÉRÉ.

ON EST ARRIVÉS DANS UN PETIT VILLAGE OÙ LES ENFANTS DE MON ÂGE N'AVAIENT JAMAIS VU DE PRÈS QUELQU'UN DE COULEUR. JE ME SOUVIENS QUE LES ENFANTS ÉTAIENT CRUELS AVEC MOI. ILS AVAIENT PEUR DE ME TOUCHER ET DE DEVENIR NOIRS.

ON ME DISAIT QUE J'AVAIS DE GROSSES LÈVRES ET UN JOUR J'AI DEMANDÉ À MA MÈRE DE ME COUPER LES LÈVRES ...CAR JE VOULAIS RESSEMBLER AUX AUTRES. MA MÈRE A SU TROUVER LES MOTS POUR ME FAIRE CHANGER D'AVIS. CE N'ÉTAIT PAS DU RACISME TEL QU'ON PEUT LE VOIR AUJOURD'HUI, C'ÉTAIT LA DIFFÉRENCE, LA PEUR.

JE N'AVAIS PAS DE COPAINS ET MON SEUL REFUGE C'ÉTAIT LES ÉTUDES. COMME JE NE PARLAIS PAS BIEN LE FRANÇAIS AU MAROC, J'AVAIS PLUTÔT APPRIS UN PEU D'ESPAGNOL, JE NE TROUVAIS PAS LES MOTS POUR M'EXPRIMER ET DIRE CE QUE JE RESSENTAIS. JE M'EN SORTAIS EN M'EXPRIMANT AVEC MON CORPS, DANS LE SPORT, ET PLUS TARD JE SUIS ALLÉ VERS LA DANSE.

102

Immigration et colonisation

Par Marie-Claude Blanc-Chaléard

L'objectif de ce texte est de revenir sur une idée reçue. On pense souvent que l'immigration est un fait récent en France et qu'il s'agit d'une sorte de prolongement de la colonisation. Il y a là une confusion que l'on se propose d'éclaircir en remontant les cours séparés de ces deux histoires, l'une et l'autre à l'origine de la diversité française.

Les Vieilles Colonies, une histoire à part

Commençons par l'histoire la plus lointaine, celle du premier empire colonial, conquis aux Amériques aux XVIe et XVIIe siècles, puis perdu. Trois siècles plus tard, il ne reste que les Antilles, la Guyane et quelques positions éparses (cinq villes du Sénégal, les comptoirs de l'Inde, La Réunion). Elles seront appelées les *Vieilles Colonies* et leur histoire restera à part dans le cadre de l'empire colonial qui va se développer au XIXe siècle, à partir de la prise d'Alger en 1830. Pour l'essentiel, le peuplement de ces territoires (les « îles à sucre ») fut le produit de la traite négrière, forme extrême de migrations forcées. Elle est interdite en 1815 (en théorie), mais c'est avec la révolution de 1848 que se produit le grand changement pour les habitants de ces colonies : l'abolition de l'esclavage d'une part, l'accession de tous au statut de citoyen français par le suffrage universel de l'autre. Il faut attendre en fait la départementalisation de 1946 pour que l'égalité juridique soit effective entre les habitants de la « France d'outre-mer ». Les descendants des anciens esclaves sont majoritaires parmi eux, mais la population est marquée par les métissages, avec les Blancs issus des premiers colons et les Asiatiques, Indiens surtout, qui ont été recrutés selon le mode semi-forcé de l'« engagement » pour faire le travail que les anciens esclaves rejetaient.

Si la mémoire de l'esclavage est devenue aujourd'hui un enjeu commun des deux côtés de l'Atlantique, c'est que l'émigration a touché ces territoires d'outre-mer à partir des années 1960 et que leurs ressortissants font partie de la société métropolitaine. Les Antillais ne sont pourtant pas des immigrés au sens statistique défini par l'INSEE en 1995 : « Est immigré celui qui est né étranger à l'étranger. » Ils n'ont pas été traités comme tels : ainsi des emplois leur étaient réservés dans le secteur public tertiaire. Pourtant aujourd'hui, leurs descendants dénoncent des discriminations fondées sur la couleur de la peau, héritage de l'esclavage.

Immigration : la République et ses étrangers (du XIXe siècle à la Seconde Guerre mondiale)

L'ère des migrations de masse. Le mot « immigration » apparaît en France à la fin du XIXe siècle, siècle de l'économie industrielle et de la liberté de circuler. Dans le monde atlantique, on parle de « migrations de masse » : entre 1850 et 1915, 50 millions d'Européens ont embarqué vers les Amériques. Partout où se développe l'industrie, le monde des prolétaires se construit avec des migrants. La France, dont la démographie est ralentie, voit se nouer très tôt son destin de pays d'immigration. En 1881, le cap du million d'étrangers est dépassé. Jusqu'en 1914, ces étrangers sont des voisins à plus de 90 %, Belges et Italiens en majorité.

Les migrants ne sont pas seulement affectés aux tâches les plus dures et les plus mal payées, ils sont « étrangers ». Et le mot est lourd à cette époque, où les États-nations s'affrontent en Europe. La IIIe République travaille ainsi depuis 1870 à unifier la société française dans une communauté nationale moderne, fondée sur l'égalité des citoyens. Dès lors, les incidents qui opposent les ouvriers français aux Belges et aux Italiens ne sont pas seulement la réponse violente des prolétaires à la violence sociale de l'exploitation capitaliste (les étrangers sont accusés de faire le jeu des patrons en acceptant n'importe quoi). Ils expriment le rejet du « national » contre le « non-national ». Les ouvriers s'intègrent par là au reste d'une société qui les méprise : à Aigues-Mortes, en 1893, les habitants de la ville prêtèrent main-forte aux ouvriers des salines dans le lynchage qui coûta la vie à huit Italiens. Un nouveau mot apparaît autour de 1900 : « xénophobie ». La protection des nationaux contre les étrangers s'installe dans le débat public et la question des étrangers devient politique : une constante de l'histoire de la IIIᵉ République... et de celles qui suivront. Des lois sont votées pour exclure les étrangers de certains emplois et pour organiser leur surveillance. La guerre de 1914-1918 renforce la tendance. La déclaration de guerre donne lieu à des chasses à l'étranger, aux premiers internements dans des camps. En 1917, le contrat de travail et la carte de séjour mettent fin à la liberté de circuler.

1919-1939 : de l'asile aux « étrangers indésirables »

Après la guerre, les pertes humaines et les destructions ont rendu l'immigration indispensable. Dans l'Europe en détresse, des milliers de réfugiés, Russes, Arméniens, Juifs et autres, sont à la recherche de sécurité et de travail. Les Italiens, dont beaucoup fuient le fascisme, viennent plus nombreux que jamais, les Espagnols aussi. Cela ne suffit pas et on recrute des Polonais, acheminés par convois entiers. La présence étrangère double en dix ans, et atteint 2,7 millions d'individus en 1931 : 7 % de la population totale, laquelle, sans eux, aurait diminué. Les « populationnistes » parviennent à faire voter en 1927 une loi qui facilite la naturalisation dès la troisième année de présence en France. Ceux que l'extrême droite appelle les « Français de papier » vont contribuer à une première diversification de grande ampleur de la société française. La crise des années 1930 fait basculer le pays dans une xénophobie sans précédent. Des mesures discriminatoires excluent les étrangers de nombreux emplois. Beaucoup quittent la France, les Polonais sont mis de force dans les trains du retour, les expulsions se multiplient. La peur de

la guerre et la haine nationale grandissent entre 1934 et 1938, avec deux cibles spécifiques : les Juifs, dont le nombre augmente parmi les bannis de Hitler, et les « étrangers indésirables », tous ceux qu'on soupçonne d'être des « subversifs », pourtant bien souvent prêts à défendre la France. En 1939, les réfugiés espagnols vaincus par Franco sont, en guise d'asile, enfermés dans des camps de concentration. Le pire est à venir. Après la défaite de 1940, le régime de Pétain s'installe en se proclamant celui de « la France aux Français ». Suivront des lois anti-étrangères, anti-juives, la livraison des réfugiés à l'ennemi et la collaboration au génocide des Juifs. À ce stade, l'histoire de l'immigration en France est donc une histoire humaine douloureuse, et une histoire politique où les étrangers ont été souvent sacrifiés sur l'autel de la nation. Grâce à la croissance économique qui se manifeste à partir des années 1950, les enfants des immigrés de l'entre-deux-guerres vont connaître une sorte de revanche et se trouveront assimilés dans le creuset de la société de consommation. Longtemps la mémoire de ce passé est refoulée, ce qui explique en partie le sentiment que l'immigration n'a commencé qu'après 1945.

L'empire colonial à l'écart de l'immigration (XIXᵉ siècle-Seconde Guerre mondiale)

Les « indigènes » exclus de l'immigration. Le temps de la IIIᵉ République fut aussi celui de « la plus grande France », célébrée lors de l'exposition de 1931. Ce vaste empire colonial, qui fut un facteur majeur de la puissance française, s'étendait essentiellement en Afrique, mais aussi en Indochine, dans nombre d'archipels océaniques et accessoirement au Moyen-Orient. Seule l'Algérie vit s'implanter un peuple de colons français, avec de nombreux Espagnols et Italiens, vite naturalisés. C'est en Algérie que fut inventé, pour les populations dominées, le statut de l'indigénat, un statut « d'entre-deux », une sorte de « monstre juridique » qui séparait nationalité et citoyenneté, contrairement aux principes fondateurs du droit national. Les « indigènes » étaient français par la nationalité mais, en tant que « sujets français », attachés à leurs coutumes, à leur « statut personnel », ils étaient exclus de la citoyenneté. Les plus « évolués » pouvaient, en renonçant à leur statut, demander la naturalisation, signe que le progrès était possible aux yeux des colonisateurs. Ce statut n'en traduisait pas moins sur le plan juridique la séparation exprimée par Jules Ferry lorsqu'il évoquait les droits et les devoirs des « peuples supérieurs » sur les « peuples inférieurs ». Sur cette base, les « indigènes » étaient plus loin des nationaux que les étrangers immigrés. Nul ne souhaitait d'ailleurs leur émigration.

1914-1918, baptême du feu de la migration coloniale. Pourtant, la migration eut lieu, et à l'appel de la métropole. Les premiers flux kabyles ont été orientés vers Marseille (pour travailler à la place des Italiens qui faisaient grève) ou dans le Nord pour les besoins des houillères.

La Première Guerre mondiale fait tout basculer. L'empire devient un réservoir de soldats et d'ouvriers pour l'économie de guerre. Quelque 800 000 Africains, Asiatiques, Océaniens découvrent ainsi la France après un recrutement le plus souvent forcé. Il faut ajouter les 20 000 combattants des *Vieilles Colonies*, et les Chinois, recrutés par l'intermédiaire des sociétés privées françaises et britanniques implantées en Extrême-Orient et traités comme des colonisés. Sur le front émerge une certaine fraternité (le commandement français refuse les demandes ségrégationnistes des Américains en 1918), mais à l'arrière tout est fait pour limiter les contacts avec les autochtones. Le rapatriement se fait dès 1919, mais la guerre a activé la conscience nationaliste et celle-ci se renforce dans l'émigration qui continue, du moins pour les Algériens.

Plus de 100 000 « Nord-Africains sujets français » se relaient alors dans quelques vieux hôtels misérables de Marseille, de Lyon ou de la banlieue parisienne. En 1926, Messali Hadj, alors ouvrier immigré, fonde l'Étoile nord-africaine, point de départ de la revendication d'indépendance pour l'Algérie. Par deux fois, en 1919 et en 1937, la France a refusé d'accorder aux musulmans la citoyenneté.

Colonisation et immigration : le nœud algérien (1945-1962)

La contribution des colonisés à la libération de la France, les promesses d'autonomie et d'égalité ont conduit à des changements sous la IVe République. L'empire devient l'Union française, et un statut de citoyens français est enfin accordé aux Algériens (1947). C'est le rush vers la métropole, la liberté de circuler étant totale. Ils ont un avantage sur les travailleurs étrangers, qui doivent se soumettre aux formalités et aux contrats de l'Office national d'immigration (ONI) nouvellement créé. C'est le grand tournant, la rencontre entre colonisation et immigration, évoquée en introduction. Les migrants d'Algérie deviennent très vite le second groupe immigré, derrière les Italiens. C'est alors que se noue le drame d'une décolonisation aussi difficile sur le terrain de l'immigration que sur la terre algérienne. Avant même « la Toussaint rouge » de 1954, ceux que l'administration désigne comme les « Français musulmans d'Algérie », ou plus simplement « FMA », restent en marge des Français ordinaires, entassés dans la misère des hôtels meublés ou des bidonvilles, soumis en matière de surveillance comme d'assistance aux services du ministère de l'Intérieur. Avec la guerre, la surveillance se mue en chasse à l'ennemi, avec des épisodes dramatiques comme la répression meurtrière de la manifestation du 17 octobre 1961 à Paris. La Ve République tente aussi d'innover en inventant, à partir de 1958, une politique sociale, notamment en matière de construction de foyers pour les travailleurs algériens (Sonacotral) avec un financement spécifique (FAS). Cette politique conserve des logiques coloniales, même après son extension à l'ensemble des travailleurs immigrés à la fin de la guerre (1962).

Les immigrés après la colonisation

Dans l'afflux des Trente Glorieuses (années 1960-1970). L'indépendance de l'Algérie marque la fin de l'histoire coloniale héritée du XIXe siècle : tous les migrants venus des anciennes colonies sont désormais des étrangers (à l'exception des Français d'outre-mer, des harkis et des rapatriés indochinois). Période de haute croissance économique en Europe, les années 1960 sont propices aux migrations postcoloniales vers les anciennes métropoles (France, Royaume-Uni, Pays-Bas). Des accords avec les nouveaux États indépendants maintiennent des conditions de circulation avantageuses. En 1975, on recense 3,5 millions d'étrangers en France. Il y a alors plus de 60 % d'Européens, les Portugais sont les plus nombreux. Mais les Algériens le sont presque autant et la part des Marocains, des Tunisiens et des émigrés d'Afrique subsaharienne augmente vite. Quelle que soit leur origine, les travailleurs immigrés connaissent alors des conditions de vie comparables, celles d'exclus de la croissance, dont le séjour ne sera, pense-t-on, que temporaire. Pourtant, les immigrés des anciennes colonies ne sont pas traités tout à fait comme les autres. Maintenus dans les secteurs les moins qualifiés (« OS à vie »), ils font l'objet d'une volonté de contingentement et sont victimes d'une xénophobie spécifique, marquée par le racisme postcolonial. L'Angleterre s'enflamme en 1968 contre l'installation des *coloured people*. En France, les violences racistes se multiplient à partir de 1970 à l'encontre des Algériens et des autres Maghrébins (d'où le vote de la loi de 1972 qui fait du racisme un délit).

Temps de crise, temps de peuplement postcolonial (après 1975). La fin des Trente Glorieuses voit se reproduire le scénario des années 1930 : crise de l'emploi, arrêt de l'immigration de travail, et crise xénophobe. L'enjeu postcolonial est au cœur de cette crise : non seulement les immigrés qu'on pensait renvoyer chez eux vont rester (ce sont plutôt les migrants européens qui acceptent l'offre de retour), mais il faut admettre comme nouveaux résidents et compatriotes les descendants des populations jadis confinées à distance dans l'empire colonial. Leur présence durable est admise politiquement en 1984 avec la généralisation du titre de séjour de dix ans. Pour autant, l'intégration de ces nouvelles vagues migratoires n'a cessé de susciter des tensions lourdement politisées. La cible principale était le devenir des jeunes générations (« seconde génération »), devenir jugé inquiétant pour l'avenir national. La loi de 1889, qui accordait automatiquement la nationalité aux enfants d'étrangers nés en France, a même été modifiée pendant quelques années (1993-1998). De leur côté, et pour la première fois dans l'histoire, les enfants de l'immigration ont pris place dans l'espace public, passant de la revendication citoyenne (les « marches pour l'égalité et contre le racisme » de 1983 à 1985) à l'affirmation identitaire (« affaires du foulard ») ou à la dénonciation contestataire (mouvement des « Indigènes de la République »). À la différence des descendants de la vague de l'entre-deux-guerres, ces enfants n'ont pas bénéficié de conditions sociales fastes mais, en cherchant leur place dans la société, ils ont contribué à lui donner un nouveau visage, aux couleurs d'un monde où l'uniformité nationale n'est plus de mise. Cela ne va pas sans conflits, d'autant que, tant qu'il sera porté par des groupes nostalgiques, le moment colonial ne pourra être liquidé.

L'immigration et l'étranger aujourd'hui. Le cours de l'immigration a déjà dépassé ce moment colonial. Parmi les migrants qui tentent aujourd'hui l'assaut de la « forteresse Europe » se mêlent les ressortissants de tous les anciens empires, les réfugiés des malheurs planétaires les plus dispersés, dont certains venus des marges de l'Europe. Les contours de l'étranger se sont modifiés : la construction européenne, qui a facilité en son temps l'intégration des Portugais, a fait surgir une « identité communautaire » et un espace commun de gestion de l'immigration, l'« espace Schengen » : c'est cette frontière qui trace la limite contemporaine entre l'« étranger » et le « national ». Elle donne une matérialité juridique à l'opposition entre Européens et non-Européens, qui est apparue en France avec l'immigration postcoloniale. Mais ce qui se joue au quotidien autour des « sans-papiers », du discours de l'invasion ou de la nécessité des expulsions, c'est la problématique ancienne de la protection nationale contre les étrangers « indésirables ».

Marie-Claude Blanc-Chaléard
Professeur d'histoire contemporaine, Université Paris Ouest Nanterre La Défense.

Michel, 45 minutes

Récit de Christophe Dabitch. Dessin de Christian Durieux

Page 113

JE VOIS ENCORE LES SALLES D'AUDIENCE DE CE TRIBUNAL MODERNE, DANS UNE PIÈCE SANS LUMIÈRE DU JOUR. UNE SALLE ASSEZ VASTE, AVEC DES BOISERIES CLAIRES. IL EST AUX ALENTOURS DE 20 HEURES. ON A ENCORE DEVANT NOUS ENTRE CINQ ET DIX DOSSIERS. IL Y A TRÈS PEU DE PERSONNES DANS LA SALLE, IL N'Y A PLUS D'AFFAIRES QUI FONT RIRE OU FRÉMIR.

C'ÉTAIT EN 1996 OU 1997. À CE MOMENT-LÀ, J'ÉTAIS JUGE CORRECTIONNEL, PRÉSIDENT D'AUDIENCE. QU'EST-CE QU'ON JUGE COMME AFFAIRES EN CORRECTIONNELLE ? C'EST DE LA VIE QUOTIDIENNE, BRUTE, ABÎMÉE.

NOUS SOMMES TROIS JUGES, DEUX FEMMES ET MOI. LE PRINCIPE EST QU'ON JUGE À TROIS MOINS MAL QUE TOUT SEUL. LE PRINCIPE SECOND EST QUE QUAND ON EST TROIS, IL Y A UNE MAJORITÉ.

ON JUGE DES CHOSES SIMPLES, MAIS QUI NE SONT PAS MOINS DIFFICILES, COMME LE SÉ-JOUR RÉGULIER DES ÉTRANGERS SUR LE TERRITOIRE FRANÇAIS.

PAR EXEMPLE, VOUS AVEZ UN GARS QUI VEND DU HASCH, OU DE LA RÉSINE... IL EST DANS LE 93, IL A MOINS DE 30 ANS. IL VIT AVEC UNE COMPAGNE FRANÇAISE DONT IL A DEUX PETITES FILLES. IL A UN CASIER JUDICIAIRE, UNE CONDAMNATION PAS NÉGLIGEABLE : QUELQUE CHOSE COMME QUATORZE OU SEIZE MOIS DE PRISON, DONT UNE PARTIE FERME, AVEC CE QUE CERTAINS APPELLENT UNE DOUBLE PEINE, L'INTERDICTION DU TERRITOIRE FRANÇAIS PENDANT TROIS ANS, JE CROIS.

IL EST LE FILS D'UN DE CES TRAVAILLEURS QUE L'ON EST ALLÉ CHERCHER AU MAGHREB. IL EST NÉ EN ALGÉRIE. JE NE SAIS PLUS SI SON PÈRE N'AVAIT PAS FAIT LES DÉMARCHES NÉCESSAIRES, OU SI LUI-MÊME N'AVAIT PAS DEMANDÉ LA NATIONALITÉ FRANÇAISE AU MOMENT VOULU...

EN TOUT CAS, IL N'EST PAS FRANÇAIS.

IL A FAIT SA DÉTENTION, ET COMME IL VIT EN FRANCE ET QU'IL A DEUX PETITES FILLES, IL A LA POSSIBILITÉ D'ESSAYER D'OBTENIR DU TRIBUNAL QU'ON LE DISPENSE DE L'INTERDICTION DU TERRITOIRE FRANÇAIS.

CE SONT DES DOSSIERS D'UNE SIMPLICITÉ QUASIMENT ÉVANGÉLIQUE. ON A OU PAS DES RAISONS DE L'OBTENIR. ON A UN CASIER JUDICIAIRE OU PAS.

CETTE DEMANDE, ON NE PEUT LA FAIRE QUE DANS DEUX SITUATIONS : À L'INTÉRIEUR DE LA PRISON, OU DEPUIS L'ÉTRANGER PUISQU'ON EST INTERDIT DE TERRITOIRE.

OÙ EST VOTRE CLIENT ?

IL EST EN BELGIQUE.

IL N'EST PAS AVEC SES ENFANTS ?

NON PUISQU'IL A UNE INTERDICTION DE TERRITOIRE.

IL M'A CHARGÉ DE LA DEMANDE.

ON N'EST PAS NÉS DE LA DERNIÈRE PLUIE : QUAND L'AVOCAT DIT ÇA, ON SE DIT : D'ACCORD, IL EST CHEZ LUI.

CERTES, IL AVAIT UNE CONDAMNATION MAIS NÉANMOINS SON PROFIL SOCIO-AFFECTIF N'ÉTAIT PAS CELUI DE MESRINE. IL Y AVAIT QUAND MÊME QUELQUES BONNES RAISONS.

D'ACCORD, IL A VENDU DE LA DROGUE, ET CE NE POUVAIT ÊTRE QUE DU HASCHICH, MAIS AVEC QUATORZE MOIS DE CONDAMNATION ON AVAIT MARQUÉ LE COUP, IL AVAIT PAYÉ.

IL AVAIT FAIT SA PEINE, IL AVAIT UNE SITUATION FAMILIALE QUI SORTAIT DE L'ORDINAIRE.

C'ÉTAIT PAS UN HOMME SEUL. IL AVAIT DES QUALITÉS DE STABILITÉ.

C'ÉTAIT CRÉDIBLE.

ÉVIDEMMENT, ON NE COURT PAS APRÈS LE DOSSIER PARCE QUE C'EST UNE DÉMARCHE ADMINISTRATIVE QUI VA PRENDRE PLUSIEURS HEURES. ON AVAIT D'AUTRES DOSSIERS, ON VOULAIT RÉGLER ÇA ET NE PAS FAIRE ATTENDRE L'AVOCAT.

DONC, ON SE RETIRE DANS LA CHAMBRE DES CONSEILS POUR DÉLIBÉRER À TROIS.

C'EST UNE DISCUSSION DE MÉCANICIENS, DE PROFESSIONNELS. C'EST ASSEZ RAPIDE, ON SE CONNAIT, ON TRAVAILLE ENSEMBLE DEPUIS UN AN ET DEMI. MISE BOUT À BOUT, L'AFFAIRE A PRIS ENVIRON 45 MINUTES. CERTAINS VOUS DIRONT QUE C'EST BEAUCOUP TROP LONG. LE MOT RENDEMENT EST REDOUTABLE EN MATIÈRE JUDICIAIRE.

LE PRINCIPE EST : IL A ÉTÉ CONDAMNÉ POUR STUPÉFIANTS, C'EST SON PROBLÈME, ON N'A PAS BESOIN DE LUI EN FRANCE.

C'EST ÇA LA MAJORITÉ.

À L'ÉPOQUE, J'AVAIS PLUS DE 60 ANS, MES COLLÈGUES AVAIENT À PEU PRÈS LE MÊME ÂGE QUE MOI. C'ÉTAIT DES FEMMES D'EXPÉRIENCE. J'ÉTAIS À QUATRE ANS DE LA RETRAITE. C'EST UNE AFFAIRE PARMI D'AUTRES QUI M'A PROFONDÉMENT MARQUÉ.

J'AVAIS ÉTÉ JUGE D'APPLICATION DES PEINES, J'AI PROBABLEMENT JUGÉ ET DÉCIDÉ DE PEINES D'INTERDICTION DU TERRITOIRE. IL Y A DES FOIS DES RAISONS SÉRIEUSES.

LÀ, ON ÉTAIT DANS LA PARTIE HUMAINE DU PROBLÈME, ME SEMBLE-T-IL.

LÀ, J'AVAIS UNE RESPONSABILITÉ DE PRÉSIDENT MAIS PAS DE VOIX PRÉPONDÉRANTE.

CE GARÇON ÉTAIT DE LA DEUXIÈME GÉNÉRATION D'IMMIGRÉS. IL A VÉCU COMME FRANÇAIS ET ON LUI IMPOSE UN RETOUR DANS UN PAYS AVEC LEQUEL IL N'A AUCUN LIEN ÉVIDENT. JE TROUVE QUE LE PRINCIPE DE L'ASSIMILATION ET DE L'INTÉGRATION EST ÉVIDENT.

J'AI QUELQUE PART UN SENTIMENT DE CULPABILITÉ. IL VAUT CE QU'IL VAUT, IL NE M'A PAS EMPÊCHÉ DE DORMIR. J'EN AI PARLÉ AVEC DES CAMARADES, CE N'ÉTAIT PAS PENSABLE QU'ON RENDE UN JUGEMENT COMME ÇA. IL Y AVAIT DEUX OPINIONS POLITIQUES AVEC UNE MAJORITÉ D'UN CÔTÉ.

IL N'A PAS ÉTÉ FAIT APPEL PAR L'INTÉRESSÉ.

LE DÉLAI D'APPEL PASSÉ, J'AI REÇU UN MATIN UN COUP DE TÉLÉPHONE DE L'AVOCAT, QUE JE CONNAISSAIS. JE ME SOUVENAIS TRÈS BIEN DE L'AFFAIRE.

JE TENAIS À VOUS FAIRE SAVOIR, MONSIEUR LE PRÉSIDENT, QUE MON CLIENT, LE LENDEMAIN DE L'AUDIENCE, S'EST PASSÉ PAR LA FENÊTRE DU SIXIÈME ÉTAGE, ET IL EST MORT.

VOILÀ.

J'AI RETROUVÉ MES DEUX COLLÈGUES LORS D'UNE AUDIENCE. JE LEUR AI DEMANDÉ SI ELLES SE SOUVENAIENT DE L'AVOCAT ET DE CE JUGEMENT.

EH BIEN, JE VOUS ANNONCE QUE LE GARÇON POUR LEQUEL IL PLAIDAIT S'EST DÉFENESTRÉ DE SON APPARTEMENT.

ÇA PROUVE BIEN QU'IL ÉTAIT EN FRANCE ET NON EN BELGIQUE.

VOILÀ, C'EST TOUT.

C'EST COMME ÇA. C'EST LA VIE.

Merci aux membres de l'association bd BOUM pour leur aide, à la Maison de Bégon - Blois, à France Asie Cultures - Blois, à France Terre d'Asile- Blois, à la Coordination des Associations Noires de Loir-et-Cher, au centre de ressources Fnasat-gens du voyage

Un grand merci à ceux qui ont accepté de nous raconter leur histoire pour ce livre, et également à ceux dont le témoignage n'a finalement pas été retenu.

C. Dabitch

L'association bd BOUM-festival de Blois remercie toutes les personnes qui ont soutenu ce projet et y ont participé.

www.futuropolis.fr

Ouvrage dirigé par Alain David

Conception et réalisation graphique : Didier Gonord pour Futuropolis

Cet ouvrage a été imprimé en avril 2018, sur du papier Périgord Condat Matt 135 g.

Imprimé chez DZS, en Slovénie.

Dépôt légal : novembre 2010

ISBN : 978-27548-0407-3
790068
N° édition : 337643

BD BOUM-festival de Blois a édité ou participé à :

Aux Éditions Futuropolis
Paroles d'illettrisme *ouvrage collectif - 2008*
Paroles de tox *ouvrage collectif - 2006*
La troisième popultion *récit d'Aurélien Ducoudray, dessin de Jeff Pourquié - 2018*

Aux Éditions La Boîte à Bulles
Transports sentimentaux *ouvrage collectif - 2007*

Aux Éditions La comédie illustrée
Jeunes, des nouvelles de la cité *ouvrage collectif - 2004*

Aux Éditions CRDP de Poitou-Charentes
S'initier à la BD en primaire *– 2009*

Aux Éditions Delcourt
Paroles de taulards *ouvrage collectif - 1999, Prix Tournesol 2000*
Paroles de taule *ouvrage collectif - 2001*
Paroles de parloirs *ouvrage collectif - 2003*
Paroles de sourds *ouvrage collectif - 2005*

Aux Éditions l'Harmattan
La prison au jour le jour *(outil de perfectionnement de lecture, t.1) - 2001*
Réapprendre au jour le jour *(outil de perfectionnement de lecture, t.2) - 2003*

Aux Éditions Casterman - Coll. Ecritures
Les gens normaux, Paroles lesbiennes, gay, bi, trans *récit d'Hubert, collectif - 2013*

Aux Éditions BD Music
Dust Bowl, livre-CD *ouvrage collectif - 2012*

Ouvrage réalisé avec le soutien de :

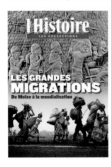

Et avec le concours de :

A lire aussi (avec la collaboration de G. Noiriel)

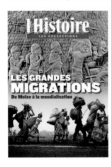